A la découverte de
L'ANGLAIS
avec

HARRAP

CONCEPTION ET RÉALISATION
BOOKMAKER

DIRECTION ÉDITORIALE
Marie Garagnoux • Patrick Michel-Dansac
AVEC
Françoise Avril

RÉDACTION
Bookmaker

TRADUCTION
Maggie Doyle

COULEURS
Jean-Pierre Sachse

MAQUETTE
Conception :
Claudine Roy
Réalisation :
Michèle Andrault • Monique Michel-Dansac

AUTRES COLLABORATEURS
Sylvie Decaux • Dominique Bluher • Elida Mannevy• Brian Mott •
Béatrice Leroy • Christine Ehm • Régine Ferrandis •
Mathilde Kemula • Bernard Wooding • Catherine Chevalot

FABRICATION
Véronique Celton

COMPOSITION ET PHOTOGRAVURE
Charente Photogravure

© THE WALT DISNEY COMPANY, 1991
First published by
HARRAP BOOKS Ltd
43-45 Annandale Street, Edinburgh EH7 4AZ
Reprinted 1993

ISBN 0 245-50199-1

Note au lecteur

Mickey, Donald et tous leurs amis vous entraînent à la découverte de l'anglais. Tout au long du livre, suivez leurs aventures dans les bandes dessinées qui vous initient à la langue parlée.

Sur chaque page, une des cases de la bande dessinée a été agrandie et modifiée (vous pouvez vous amuser à chercher les différences); les mots importants à retenir sont répartis autour de cette grande image.

Avant de partir sur les traces de vos compagnons, lisez attentivement le mode d'emploi de la page 5.
L'avertissement de la page 4 est plus particulièrement destiné à vos parents et professeurs.

Avertissement

A la découverte de l'anglais avec *Walt Disney* est un vocabulaire destiné aux enfants de 8 à 13 ans, en début ou en cours d'apprentissage d'anglais. L'ouvrage présente 1000 mots de toutes les catégories grammaticales (noms, verbes, adjectifs, adverbes…).

Les mots ont été sélectionnés par une équipe de spécialistes de l'enseignement des langues. Ils font partie, ainsi que les phrases proposées, des contenus recommandés dans les programmes scolaires. La sélection tient par ailleurs compte des centres d'intérêt des 8–13 ans, ainsi que de leur vie quotidienne.

Une double vocation — acquisition d'un vocabulaire de base et découverte de la communication usuelle — a motivé l'organisation de chaque page de l'album : une grande illustration pour désigner les mots à apprendre et une bande dessinée pour proposer, grâce aux dialogues des bulles, des formes idiomatiques.

L'ouvrage est un outil pratique, qui met à la disposition du jeune lecteur une série de repères utiles :

• L'organisation par champs sémantiques fait entrer chaque notion dans un contexte précis, à la fois linguistique et visuel, et permet à chaque mot de prendre sens par rapport à ceux qui lui sont associés.

• Dans les pages de vocabulaire, le lecteur pourra découvrir des illustrations inédites réalisées par les studios Walt Disney et retrouver ses héros favoris. Qualité du graphisme, lisibilité et rigoureuse sélection des informations ont été les soucis constants des auteurs.

• Des annexes récapitulent les données de base indispensables (verbes irréguliers, nombres, jours et mois, etc).

• En fin d'ouvrage, deux index bilingues constituent un dictionnaire complet des mots figurant dans le livre. L'enfant pourra y trouver la prononciation des mots, établie avec la transcription phonétique internationale.

Les personnages de Walt Disney apportent leur humour et leur complicité à cet album qui se veut avant tout une joyeuse introduction à l'acquisition du vocabulaire anglais.

Mode d'emploi

Les mille mots de ce vocabulaire sont répartis en dix thèmes faisant chacun l'objet d'un chapitre. Pour découvrir les mots se rapportant à l'un de ces thèmes, il faut consulter les pages 7 à 93 :

Sur la première page de chacun des dix chapitres se trouve la liste des sujets traités. Par exemple, sur la page 7 qui est la première page consacrée à la maison, figure la liste suivante : le jardin, la maison, dans la maison, la salle de séjour, la chambre, au lit, la cuisine, la salle de bains.

Page après page, ces sujets sont illustrés par une grande image entourée de mots ou de phrases en anglais et de leur traduction.

Sous cette illustration, une bande dessinée présente des dialogues : le texte anglais est dans les bulles, la traduction est sous les vignettes.

Les mots du vocabulaire sont repris dans les deux index (p. 101 à p. 111) où ils sont classés par ordre alphabétique et traduits. Si on cherche la traduction d'un mot précis, il faut donc consulter ces index comme on consulterait un dictionnaire.

Vous trouverez également de la page 95 à la page 99 des listes de verbes irréguliers, de nombres, jours et mois, ainsi qu'un tableau des signes phonétiques.

the house · la maison

the garden • le jardin

He is planting a tree.
Il plante un arbre.

rake
le râteau

watering can
l'arrosoir

shovel
la pelle

hedge
la haie

lawn
la pelouse

lawn mower
la tondeuse à gazon

path
l'allée

Huey is watering the flowers.
Riri arrose les fleurs.

It is springtime; they are in the garden.
C'est le printemps, ils sont dans le jardin.

– Au revoir Donald ! À bientôt !
– Au revoir Daisy !

– Donald

– Elle m'aime un peu… beaucoup…
passionnément… à la folie…
– Pas du tout !

the house · la maison

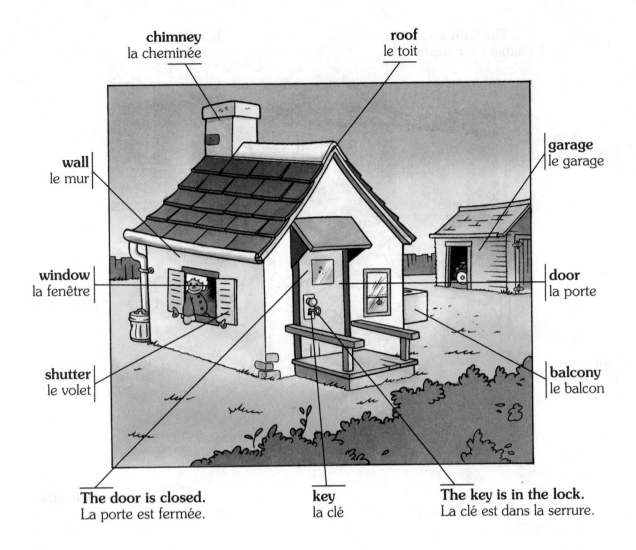

chimney
la cheminée

roof
le toit

garage
le garage

wall
le mur

window
la fenêtre

door
la porte

shutter
le volet

balcony
le balcon

The door is closed.
La porte est fermée.

key
la clé

The key is in the lock.
La clé est dans la serrure.

Donald cannot live in this house.
Donald ne peut pas habiter dans cette maison.

Quelle belle maison !
À louer

– Vous voulez louer une maison ?
Moi, je vous en vends une
pour 150 $ seulement…
– C'est impossible ! On ne peut
acheter aucune maison à ce prix !

– Vous ne me
croyez pas ?
Voici le titre de
propriété !

– J'achète tout de
suite !

– Maison de poupée
– À louer

in the house • dans la maison

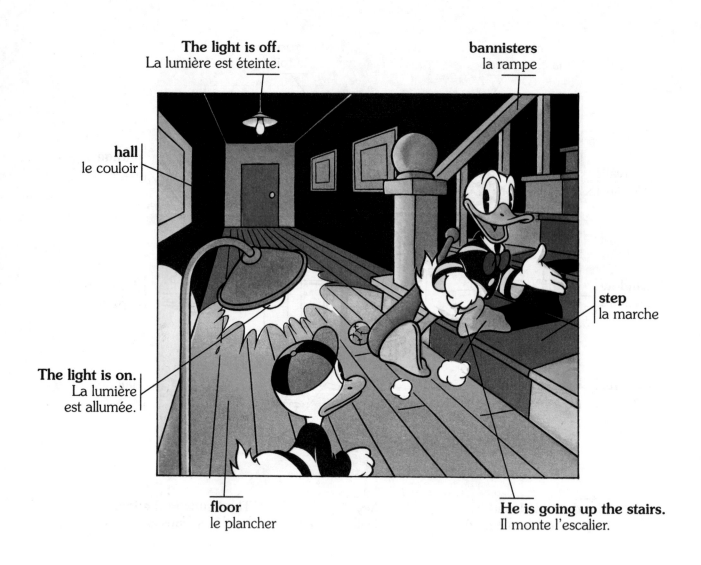

The light is off.
La lumière est éteinte.

bannisters
la rampe

hall
le couloir

step
la marche

The light is on.
La lumière
est allumée.

floor
le plancher

He is going up the stairs.
Il monte l'escalier.

The hall is narrow and dark.
Le couloir est étroit et sombre.

– On a peur…
– … il fait trop…
– … sombre là-haut…

– Mais non, n'ayez pas peur !
Regardez !…

the sitting-room • la salle de séjour

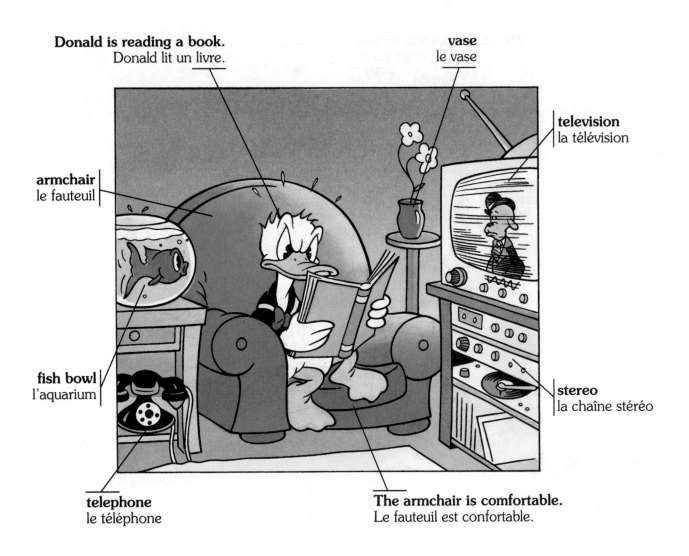

Donald is reading a book.
Donald lit un livre.

vase
le vase

television
la télévision

armchair
le fauteuil

fish bowl
l'aquarium

stereo
la chaîne stéréo

telephone
le téléphone

The armchair is comfortable.
Le fauteuil est confortable.

Donald is sitting down.
Donald est assis.

The goldfish is watching television!
Le poisson rouge regarde la télévision !

Il m'énerve, ce poisson !

– Arrête de me regarder !

the bedroom • la chambre

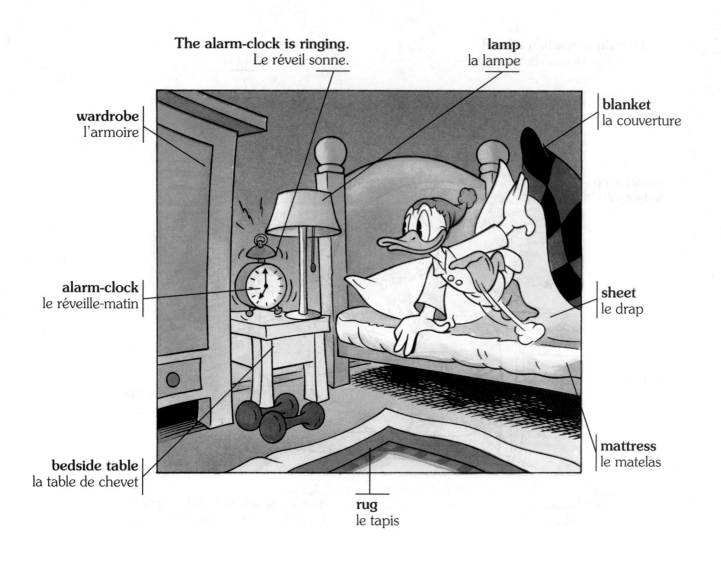

The alarm-clock is ringing.
Le réveil sonne.

lamp
la lampe

wardrobe
l'armoire

blanket
la couverture

alarm-clock
le réveille-matin

sheet
le drap

bedside table
la table de chevet

mattress
le matelas

rug
le tapis

Donald is getting up.
Donald se lève.

He will go back to bed soon.
Il va bientôt se recoucher.

– C'est l'heure !   – Un peu de gymnastique…   – … pour me réveiller…   – Ouf !

in bed • au lit

Donald is tired; he is yawning.
Donald est fatigué, il bâille.

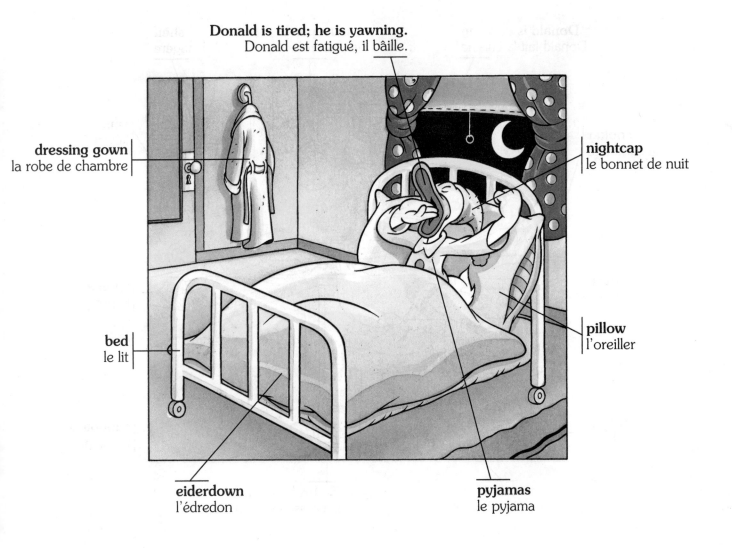

dressing gown
la robe de chambre

nightcap
le bonnet de nuit

pillow
l'oreiller

bed
le lit

eiderdown
l'édredon

pyjamas
le pyjama

It is late; it is nighttime.
Il est tard, c'est la nuit.

He is going to sleep.
Il va dormir.

Va-t'en sale bête ! Laisse-moi
dormir !

the kitchen • la cuisine

Donald is cooking.
Donald fait la cuisine.

saucepan
la casserole

shelf
l'étagère

cooker
la cuisinière

sink
l'évier

oven
le four

sponge
l'éponge

dustbin
la poubelle

cupboard
le placard

stool
le tabouret

He broke a plate.
Il a cassé une assiette.

The glasses are kept on the shelf.
Les verres sont rangés sur l'étagère.

The dishes are not done.
La vaisselle n'est pas faite.

– C'est l'heure...
– ... de prendre notre...
– ... médicament, oncle Donald.

– En voilà une bonne surprise,... pas de grimace !
– Miam !

– Au revoir !
– Au revoir ! Ce gâteau sera meilleur avec de la crème...

– Pouah !...
Ah !

the bathroom • la salle de bains

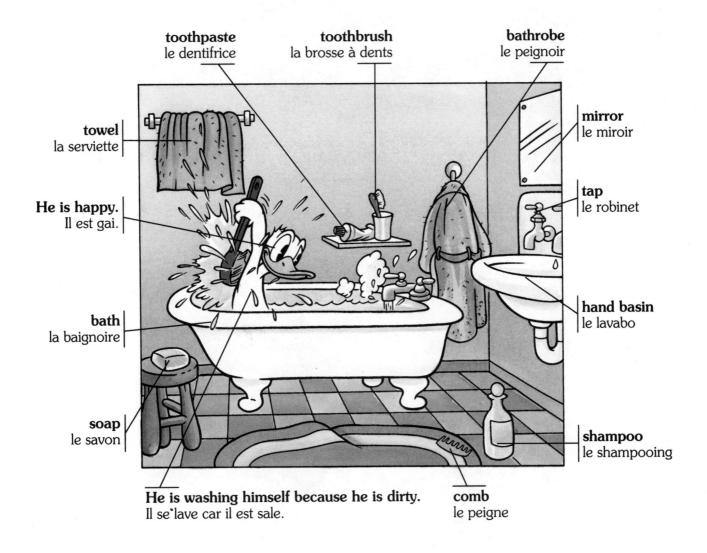

toothpaste
le dentifrice

toothbrush
la brosse à dents

bathrobe
le peignoir

towel
la serviette

mirror
le miroir

He is happy.
Il est gai.

tap
le robinet

bath
la baignoire

hand basin
le lavabo

soap
le savon

shampoo
le shampooing

He is washing himself because he is dirty.
Il se'lave car il est sale.

comb
le peigne

Donald is clean; he is having a bath.
Donald est propre ; il prend un bain.

He brushes his teeth twice a day.
Il se brosse les dents deux fois par jour.

– ZZZZ !   – ZZZZ !

the town • la ville

the street • la rue

building
l'immeuble

traffic light
le feu de signalisation

pavement
le trottoir

car
la voiture

policeman
l'agent de police

crossroads
le carrefour

Donald is asking the policeman for directions.
Donald demande son chemin à l'agent de police.

He is showing him the way.
Il lui montre le chemin.

There is no traffic jam!
Il n'y a pas d'embouteillage !

It is forbidden to cross when the light is green.
Il est interdit de traverser quand le feu est vert.

– Défense de stationner

– Parking

– Poste
– Emplacement réservé aux vélos des facteurs

traffic • la circulation

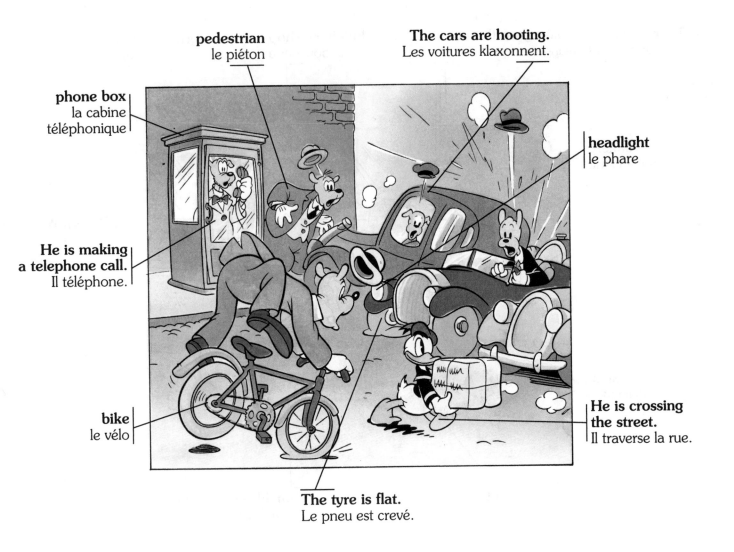

pedestrian
le piéton

The cars are hooting.
Les voitures klaxonnent.

phone box
la cabine
téléphonique

headlight
le phare

**He is making
a telephone call.**
Il téléphone.

bike
le vélo

**He is crossing
the street.**
Il traverse la rue.

The tyre is flat.
Le pneu est crevé.

Donald has caused a traffic jam.
Donald a provoqué un embouteillage.

He gets them to think there is dynamite in the parcel.
Il fait croire que son paquet contient de la dynamite.

– Je ne vois
qu'une
solution…

– Danger Dynamite

shops • les magasins

There is only one bakery on this street.
Il y a une seule boulangerie dans cette rue.

butcher's shop
la boucherie

grocer's shop
l'épicerie

bakery
la boulangerie

This shop is closed
Cette boutique est fermée.

baker
le boulanger

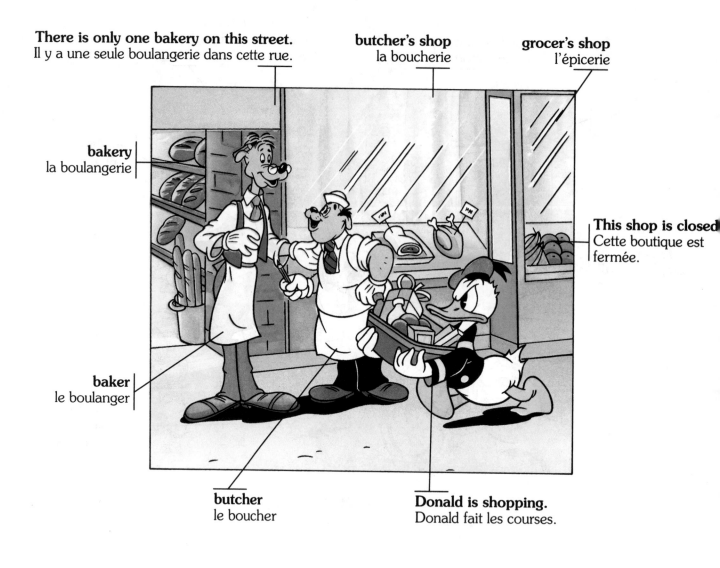

butcher
le boucher

Donald is shopping.
Donald fait les courses.

There are a lot of shops in this street.
Il y a de nombreux magasins dans cette rue.

Donald does not like going to the supermarket.
Donald n'aime pas aller au supermarché.

– Ce poulet pèse deux kilos.
– Je vais le vérifier !
– Poulet farci

– Boucherie
– Heures d'ouverture

– Ne vous vexez pas ! Je voulais seulement être sûr…

– Si ce n'est pas toi qui l'as chassé...
– ... pourquoi y a-t-il du plomb...
– ... dans la farce ?

money • l'argent

He is selling Donald a stamp.
Il vend un timbre à Donald.

salesperson
le vendeur

bank note
le billet

counter
le comptoir

cashier
la caissière

wallet
le portefeuille

coin
la pièce

She is paying the cashier.
Elle paie la caissière.

purse
le porte-monnaie

cash register
la caisse

Donald is buying a stamp.
Donald achète un timbre.

The milk is expensive, the sugar is cheap.
Le lait est cher, le sucre est bon marché.

Je voudrais un timbre à 2 centimes !

– Votre monnaie !

at the station • à la gare

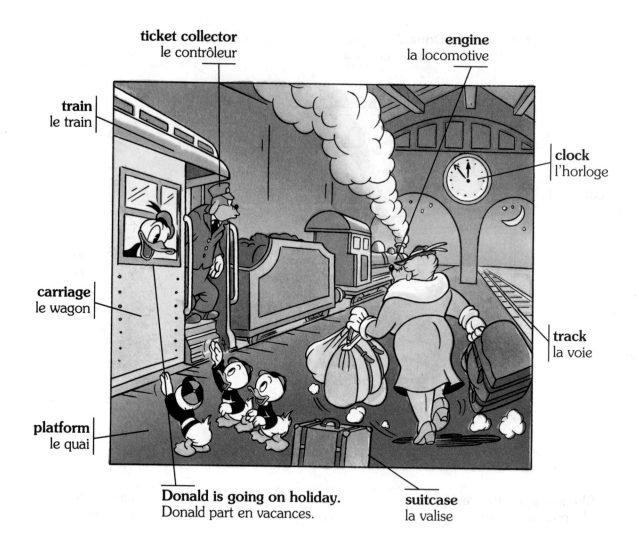

ticket collector
le contrôleur

engine
la locomotive

train
le train

clock
l'horloge

carriage
le wagon

track
la voie

platform
le quai

Donald is going on holiday.
Donald part en vacances.

suitcase
la valise

The woman is in a hurry; she is late.
La dame se dépêche, elle est en retard.

Her luggage is heavy.
Ses bagages sont lourds.

– A bientôt !
– Salut…
– Oncle…
– Donald !

– J'ai oublié
ma valise !

– Vite ! Le train
démarre !

transport • les moyens de transport

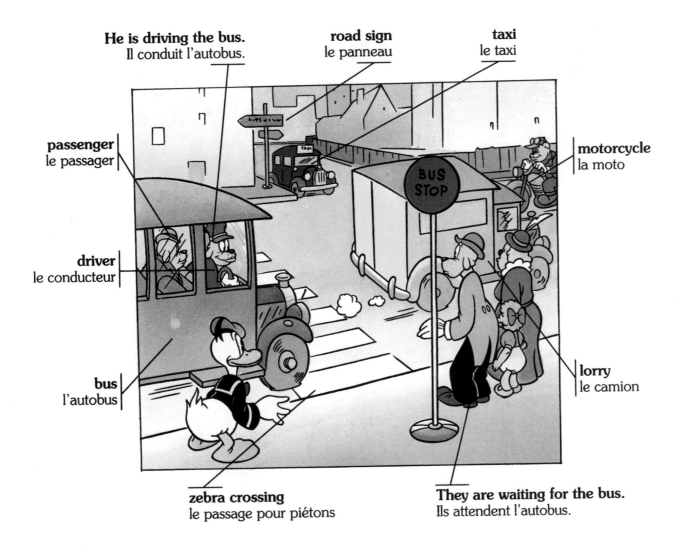

He is driving the bus.
Il conduit l'autobus.

road sign
le panneau

taxi
le taxi

passenger
le passager

motorcycle
la moto

driver
le conducteur

bus
l'autobus

lorry
le camion

zebra crossing
le passage pour piétons

They are waiting for the bus.
Ils attendent l'autobus.

The road sign gives the directions.
Le panneau indique les directions.

The little girl is between the gentleman and the lady.
La petite fille est entre le monsieur et la dame.

- Arrêt de bus

– Arrêt de bus

– Arrêt de bus

the school • l'école

the classroom • la salle de classe

He is top of the class.
C'est le meilleur élève de la classe.

She is cleaning the blackboard.
Elle efface le tableau.

blackboard
le tableau

pupil
l'élève

schoolteacher
la maîtresse

**She is turning
the page.**
Elle tourne la page.

desk
le bureau

page
la page

pupil
l'élève

He is writing.
Il écrit.

The pupils are in the classroom.
Les élèves sont dans la salle de classe.

The pupils are working hard.
Les élèves travaillent bien.

– Je vais aller voir le directeur de l'école pour
savoir si P'tit David s'adapte bien à l'école…

– Merci de votre aide… L'école a
une excellente influence sur P'tit David !
– Eh bien…

– Je ne sais pas si l'école a une influence sur P'tit David,
mais P'tit David a une influence sur l'école !

playtime · la récréation

The teacher is watching the playground.
Le professeur surveille la cour.

He is running.
Il court.

The children are dancing in a ring.
Les enfants font la ronde.

He is playing marbles.
Il joue aux billes.

Morty has put his books on the ground.
Michou a posé ses livres par terre.

He is Morty's friend.
C'est un ami de Michou.

It is playtime.
C'est l'heure de la récréation.

The children are having fun.
Les enfants s'amusent.

– Alors… c'est toi le nouveau ?

– Exact ! D'autres questions ?

– Qu'est-ce que tu as appris à l'école aujourd'hui, Michou ?
– Qu'il ne faut jamais se fier aux apparences !

arithmetic • le calcul

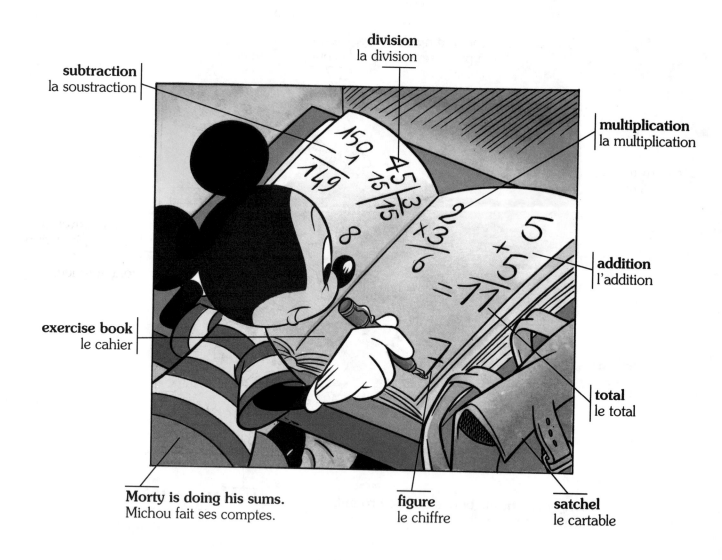

division
la division

subtraction
la soustraction

multiplication
la multiplication

addition
l'addition

exercise book
le cahier

total
le total

Morty is doing his sums.
Michou fait ses comptes.

figure
le chiffre

satchel
le cartable

He has made a mistake in one sum.
Il a fait une erreur dans une opération.

– Veux-tu que je t'aide à faire ton devoir ?
– X a trois dollars d'argent de poche par semaine…

– Tickets de bus, stylos, bonbons, une séance de cinéma par semaine… X ne peut pas y arriver !
– C'est ce que je pensais !

– Merci pour cette augmentation, Mickey !

colours · les couleurs

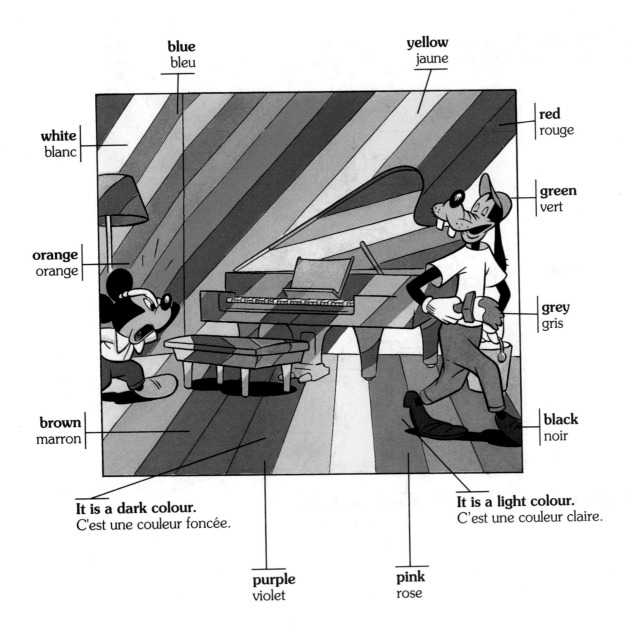

blue
bleu

yellow
jaune

white
blanc

red
rouge

orange
orange

green
vert

grey
gris

brown
marron

black
noir

It is a dark colour.
C'est une couleur foncée.

It is a light colour.
C'est une couleur claire.

purple
violet

pink
rose

– Bon courage ! J'espère que tu vas faire du bon travail !
– Qu'est-ce que tu veux dire ? Je suis le meilleur peintre de rayures de la ville !

– Plus tard...
– Je ne sais pas pourquoi, mais je suis toujours inquiet quand il travaille pour moi...

– Tu voulais du bon travail... C'est fait !

shapes • les formes

She is listening to Li'l Davy.
Elle écoute P'tit David.

rectangle
le rectangle

circle
le cercle

triangle
le triangle

This book is closed.
Ce livre est fermé.

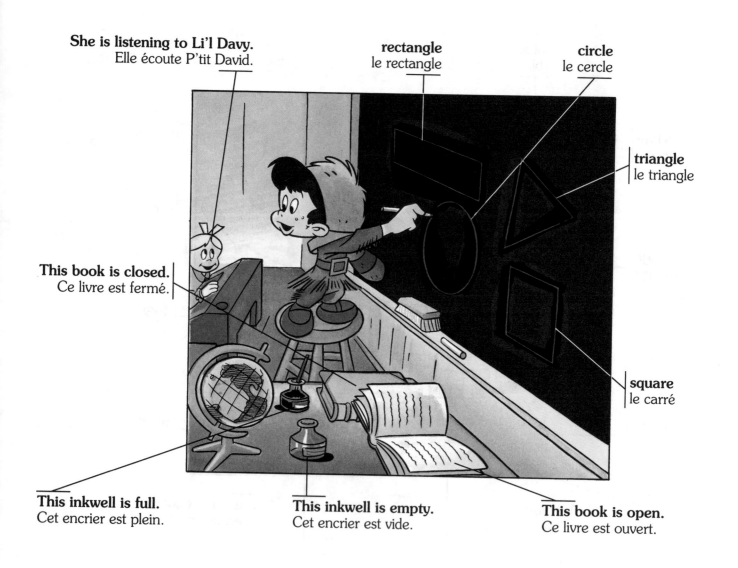

square
le carré

This inkwell is full.
Cet encrier est plein.

This inkwell is empty.
Cet encrier est vide.

This book is open.
Ce livre est ouvert.

The globe is round.
La mappemonde est ronde.

– Je suis vraiment content que P'tit David aille à l'école !

– Il va enfin apprendre quelque chose…

– Et voici la trace d'une patte d'ours… Vous avez tous bien compris ?

time • l'heure

This hand shows the minutes.
Cette aiguille indique les minutes.

This hand shows the hours.
Cette aiguille indique les heures.

The cuckoo clock is on time.
Le coucou est à l'heure.

Goofy's watch is slow.
La montre de Dingo retarde.

watch
la montre

alarm clock
le réveil

The alarm clock is fast.
Le réveil avance.

This hand shows the seconds.
Cette aiguille indique les secondes.

Mickey is winding the alarm clock; it will go off tomorrow morning at eight o'clock.
Mickey remonte le réveil ; il sonnera demain matin à huit heures.

– Soldes
– Quel beau coucou ! Je suis content de l'avoir acheté !
– Bonne chance !

– Voyons, quelle heure est-il ?

– Il est deux heures ! Mon coucou sonne !

people · les gens

the family • la famille

She is Ann's grandmother.
C'est la grand-mère d'Anne.

He is Ann's uncle.
C'est l'oncle d'Anne.

He is Michael's son.
C'est le fils de Michel.

He is Philip's father.
C'est le père de Philippe.

He is Philip's grandfather.
C'est le grand-père de Philippe.

They are brother and sister.
Ils sont frère et sœur.

She is Mark's mother.
C'est la mère de Marc.

She is Ann's cousin.
C'est la cousine d'Anne.

She is Ann's aunt.
C'est la tante d'Anne.

She is Michael's daughter.
C'est la fille de Michel.

He is Ann's cousin.
C'est le cousin d'Anne.

Michael is Margaret's husband.
Michel est le mari de Marguerite.

Margaret is Michael's wife.
Marguerite est la femme de Michel.

– Tu as vu ? Elle fait bien le ménage !
– Quel désordre !

– Boum !

– Je ne pensais pas que ma famille pouvait faire peur...

34

people • les personnes

woman
la femme

He is happy.
Il est heureux.

She is young.
Elle est jeune.

man
l'homme

girl
la fille

baby
le bébé

Li'l Davy is a boy.
P'tit David est un garçon.

The mother is holding her baby in her arms.
La maman porte son bébé dans les bras.

She has two children.
Elle a deux enfants.

– Vous croyez que vous allez y arriver ?
– Bien entendu ! Venez le chercher dans une demi-heure.

– Je vous préviens que...
– Allons... Allons...

– Mais... Mais...
– Je déteste qu'on me coupe les cheveux !

appearance • l'aspect physique

He is old.
Il est vieux.

He is fat.
Il est gros.

He is ugly.
Il est laid.

He is tall.
Il est grand.

He is strong.
Il est fort.

He is thin.
Il est maigre.

He is small.
Il est petit.

Goofy is taller than Mickey.
Dingo est plus grand que Mickey.

Mickey is smaller than Goofy.
Mickey est plus petit que Dingo.

John is fatter than Goofy.
Jean est plus gros que Dingo.

– Mickey, as-tu besoin d'un presse-fruits ?
– Oh oui, merci !

– Un presse-fruits me rendra service.

– C'est vraiment gentil de ta part, Mickey ! Mon cousin était au chômage !

hair • la chevelure

He has short hair.
Il a les cheveux courts.

ponytail
la queue de cheval

fringe
la frange

moustache
la moustache

She is blonde.
Elle est blonde.

He is dark.
Il est brun.

plait
la tresse

beard
la barbe

slide
la barrette

He has a beard and straight hair.
Il est barbu et il a les cheveux raides.

The little girl is red-haired.
La petite fille est rousse.

She has long hair.
Elle a les cheveux longs.

– Mickey, peux-tu aller chercher la baby-sitter
de ma nièce ?
– Oui...

– Ça ne vous dérange pas que j'apporte
mes disques ?

– Je vais les arrêter, ils ont l'air bizarre !

personality • la personnalité

Goofy is happy.
Dingo est content.

Mickey is surprised.
Mickey est surpris.

Li'l Davy is polite.
P'tit David est poli.

She is famous.
Elle est célèbre.

Goofy is poor.
Dingo est pauvre.

Miss Latour is rich.
Miss Latour est riche.

Mickey is nice!
Mickey est gentil !

– Je vais chasser !
– D'accord ! Mais ne reviens pas avec un chef indien ou un ours, comme d'habitude...

– Tu peux rire, mais il nous réserve souvent de mauvaises surprises !

– Plus tard
– J'espère que je ne vous ennuie pas... J'ai invité...
– Non ! il n'en est pas question !

– Je suis vraiment désolé, miss Latour !
– Ce n'est pas grave, P'tit David !
– J'aurais mieux fait de me taire...

clothes (1) • les vêtements (1)

blouse
le chemisier

She is wearing a lovely evening dress.
Elle porte une jolie robe longue.

bow tie
le nœud papillon

jacket
la veste

petticoat
le jupon

tie
la cravate

She looks very smart.
Elle est très élégante.

tights
le collant

dress
la robe

Minnie is wearing make-up.
Minnie s'est maquillée.

Mickey has a new suit.
Mickey a un costume neuf.

– Tu vas au bal ce soir ?
– Non, sauf si je trouve une fille habillée comme autrefois.

– Est-ce que Dingo a trouvé une fille à son goût ?

– Oui ! Il ne fait jamais les choses à moitié !

clothes (2) • les vêtements (2)

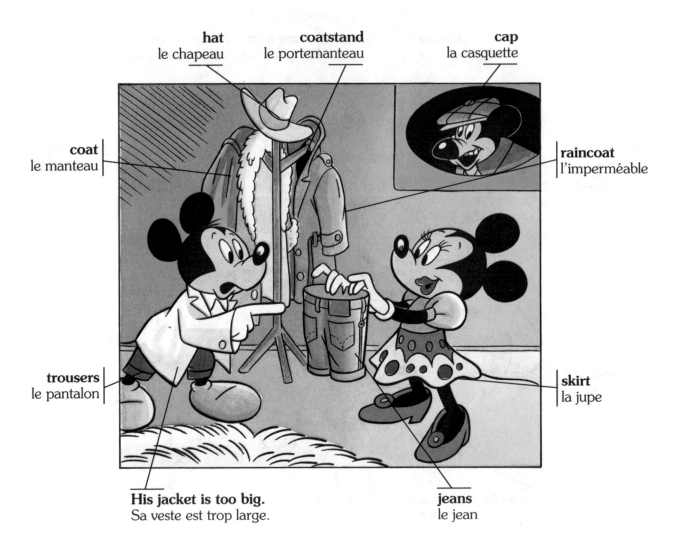

hat
le chapeau

coatstand
le portemanteau

cap
la casquette

coat
le manteau

raincoat
l'imperméable

trousers
le pantalon

skirt
la jupe

His jacket is too big.
Sa veste est trop large.

jeans
le jean

Mickey's trousers are too short.
Le pantalon de Mickey est trop court.

Minnie is going to get dressed.
Minnie va s'habiller.

– Tu veux vraiment porter cela ce soir ?
– Oui ! Les pantalons de torero sont à la mode en ce moment.

– Le soir...
– Mon premier invité... Pourvu que ce soit Mickey !

– Nous voici !

clothes (3) • les vêtements (3)

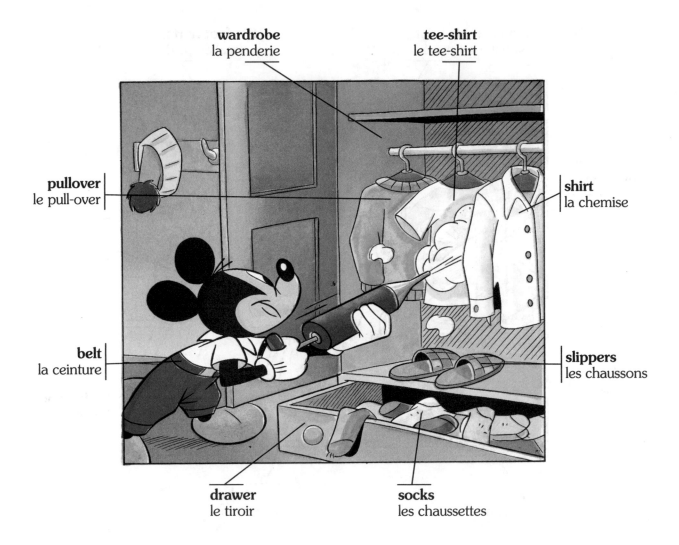

wardrobe
la penderie

tee-shirt
le tee-shirt

pullover
le pull-over

shirt
la chemise

belt
la ceinture

slippers
les chaussons

drawer
le tiroir

socks
les chaussettes

There are a lot of clothes in the wardrobe.
Il y a beaucoup de vêtements dans la penderie.

He has hung his cap on the peg.
Il a accroché son bonnet au portemanteau.

THANKS TO THIS SPRAY, THERE'LL BE NO MORE MOTHS...

– Grâce à ce produit, il n'y aura plus de mites…

THEY'LL NEVER KNOW WHAT HIT THEM...

– Elles ne savent pas ce qui les attend…

LATER...

I'VE FORGOTTEN MY BEST SUIT!

– Plus tard…
– J'avais oublié mon plus beau costume !

shoes • les chaussures

There is a hole in his boot.
Sa botte est trouée.

His foot hurts.
Il a mal au pied.

tennis shoe
le tennis

boot
la botte

shoelace
le lacet

ankle boot
la bottine

heel
le talon

court shoe
l'escarpin

Goofy's shoes are too big.
Les chaussures de Dingo sont trop grandes.

– Tu avais dit que tu n'irais plus au bal…
– Oui... Mais j'ai quand même envie de m'amuser...

– Ça c'est bizarre...
– Et alors, qu'est-ce que ça peut te faire ?

– Je ne supportais plus de me faire marcher sur les pieds.

jewellery • les bijoux

ring
la bague

This gold ring glitters.
Cette bague en or brille.

earring
la boucle d'oreille

emerald
l'émeraude

bead
la perle

necklace
le collier

bracelet
le bracelet

Minnie's necklace broke.
Le collier de Minnie s'est cassé.

brooch
la broche

ruby
le rubis

The beads rolled on the floor.
Les perles ont roulé sur le sol.

Emeralds and rubies are precious stones.
Les émeraudes et les rubis sont des pierres précieuses.

– Mickey ! Mes perles… !
– Je vais les ramasser !

– Hou ! là, là ! Il y en a vraiment beaucoup !

– Bon… Je crois que je les ai toutes retrouvées…

– Ça fait bien longtemps que tout le monde est parti !

the human body • le corps humain

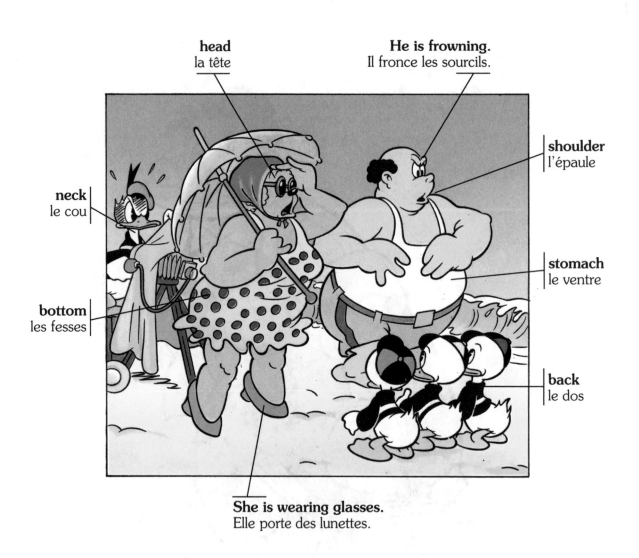

head
la tête

He is frowning.
Il fronce les sourcils.

shoulder
l'épaule

neck
le cou

stomach
le ventre

bottom
les fesses

back
le dos

She is wearing glasses.
Elle porte des lunettes.

The lady is turning her back on Donald.
La dame tourne le dos à Donald.

– Hé vous ! Vous ne voyez pas que je suis en train de prendre une photo ?

– Ohé, Oscar !

parts of the body (2) • les parties du corps (2)

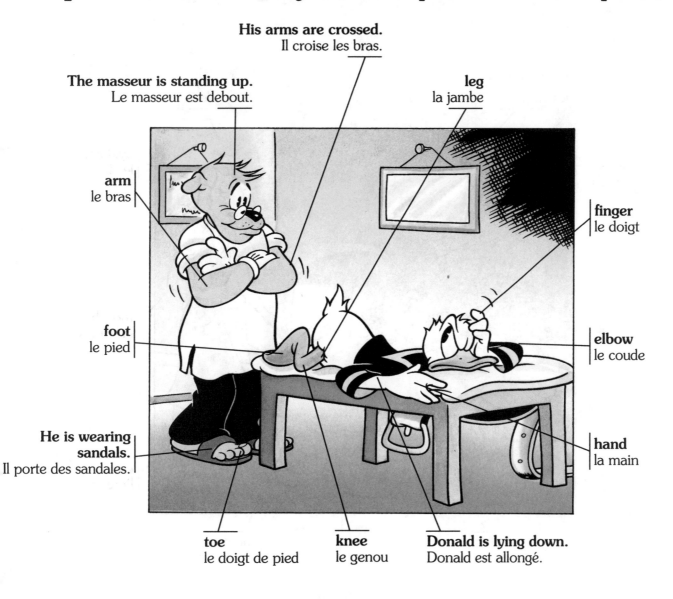

His arms are crossed.
Il croise les bras.

The masseur is standing up.
Le masseur est debout.

leg
la jambe

arm
le bras

finger
le doigt

foot
le pied

elbow
le coude

He is wearing sandals.
Il porte des sandales.

hand
la main

toe
le doigt de pied

knee
le genou

Donald is lying down.
Donald est allongé.

The masseur's arms are well-muscled.
Le masseur a les bras musclés.

Donald has a massage once a week.
Donald se fait masser une fois par semaine.

Diplôme

– Crac

– Ça fera un dollar, monsieur !

the face • le visage

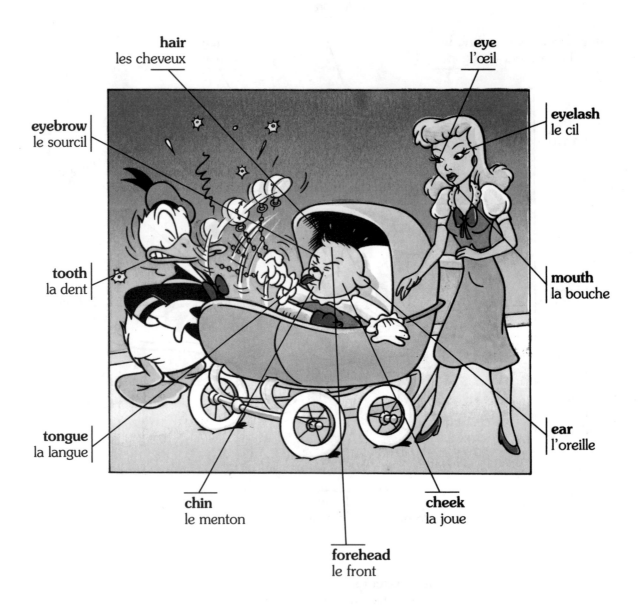

hair
les cheveux

eye
l'œil

eyebrow
le sourcil

eyelash
le cil

tooth
la dent

mouth
la bouche

tongue
la langue

chin
le menton

cheek
la joue

ear
l'oreille

forehead
le front

The baby is sticking out his tongue.
Le bébé tire la langue.

– Oh ! Comme tu es
mignon ! Areuh areuh !

– Chut !
– Wouin ! Wouin !

– Regarde ! La montre
fait tic-tac !

health • la santé

The nurse is going to look after him.
L'infirmière va le soigner.

He has a headache.
Il a mal à la tête.

The doctor is worried.
Le médecin est inquiet.

syringe
la seringue

Donald's heart is beating very loudly.
Le cœur de Donald bat très fort.

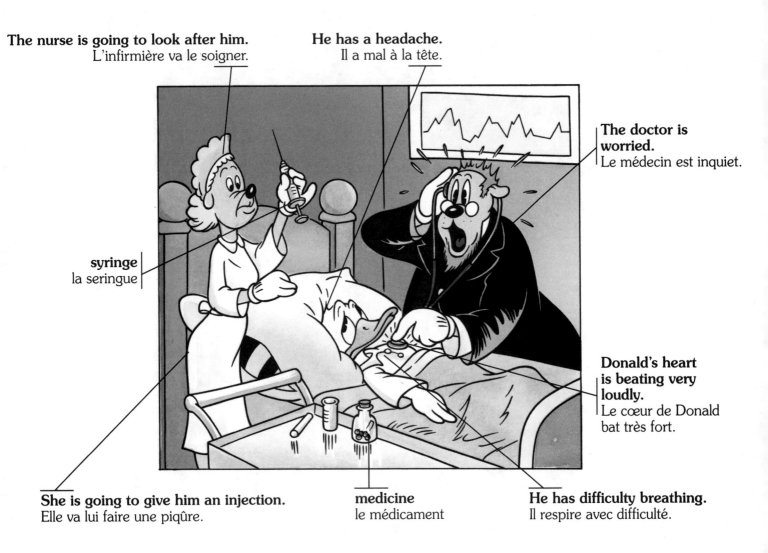

She is going to give him an injection.
Elle va lui faire une piqûre.

medicine
le médicament

He has difficulty breathing.
Il respire avec difficulté.

He was brought to the hospital by ambulance.
On l'a transporté à l'hôpital en ambulance.

Perhaps Donald will die.
Donald va peut-être mourir.

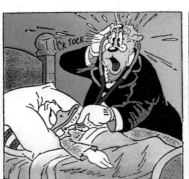

– Je vais faire semblant
d'être malade...

– Tic tac

– Ha ha ! Il s'est laissé prendre !

– Ambulance

food • la nourriture

vegetables · les légumes

pumpkin
la citrouille

carrot
la carotte

lettuce
la salade

pea
le petit pois

sweet pepper
le poivron

leek
le poireau

green bean
le haricot vert

onion
l'oignon

cabbage
le chou

potato
la pomme de terre

radish
le radis

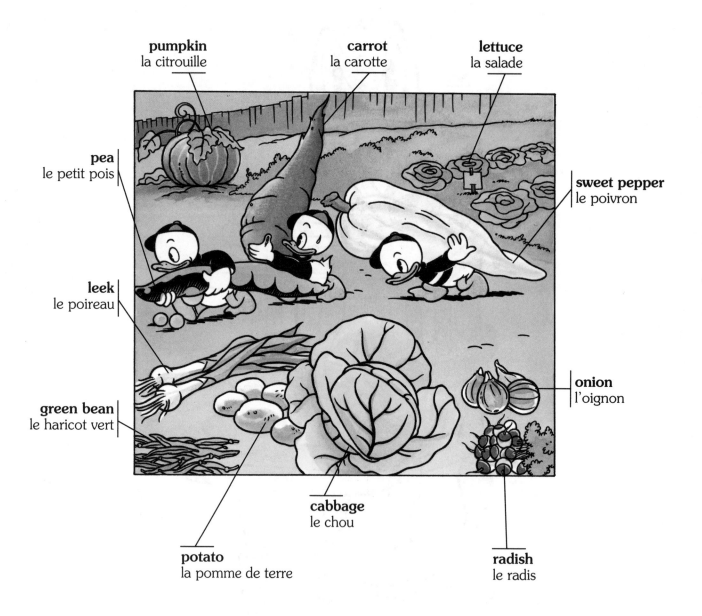

– Nous avons acheté…
– … de l'engrais magique.
– Engrais magique
– Vous savez, c'est la pluie et le travail
qui font pousser les plantes…

– Il pleut ! Je parie que demain
tout aura poussé !

– Le matin
– Il me tarde de voir…

– Ça alors ! Je vous avais bien dit que tout aurait…
– … poussé !

fruit · les fruits

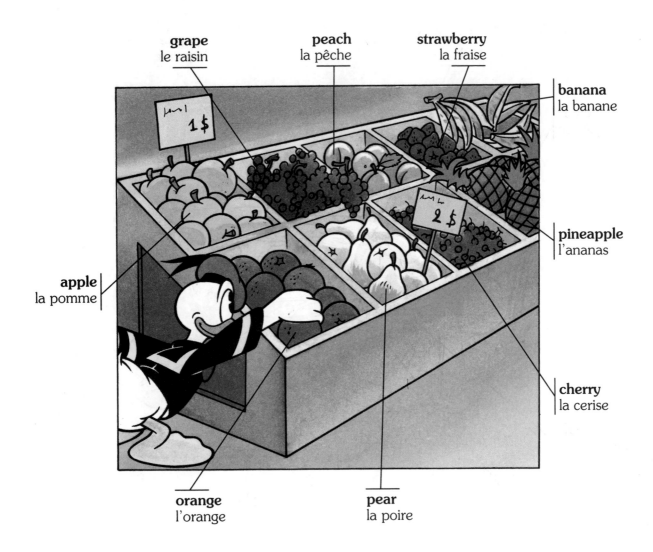

grape
le raisin

peach
la pêche

strawberry
la fraise

banana
la banane

pineapple
l'ananas

apple
la pomme

cherry
la cerise

orange
l'orange

pear
la poire

The fruit is ripe.
Les fruits sont mûrs.

A peach is a piece of fruit.
La pêche est un fruit.

Vous avez vu ces beaux fruits ?

– Vous en voulez
encore ?

the table · la table

salt
le sel

pepper
le poivre

chair
la chaise

knife
le couteau

fork
la fourchette

glass
le verre

napkin
la serviette

spoon
la cuillère

plate
l'assiette

Donald is holding a dish.
Donald porte un plat.

Gladstone is always hungry and thirsty.
Gontran a toujours faim et soif.

– Tiens ! J'espère que ça te suffira !

– Oh ! là ! là ! Quel gourmand !
Pourvu qu'il me laisse quelque
chose à manger…

– Quoi ? Il ne reste que les…

– … os ?

breakfast • le petit déjeuner

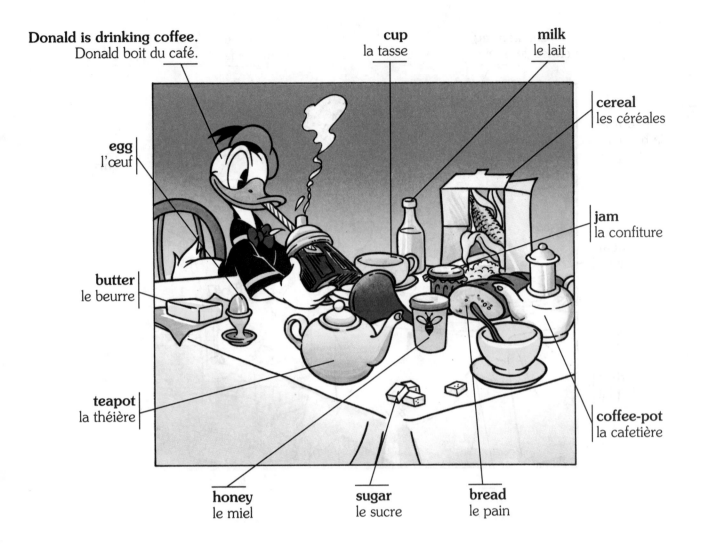

Donald is drinking coffee.
Donald boit du café.

cup
la tasse

milk
le lait

cereal
les céréales

egg
l'œuf

jam
la confiture

butter
le beurre

teapot
la théière

coffee-pot
la cafetière

honey
le miel

sugar
le sucre

bread
le pain

He has got tea ready.
Il a préparé du thé.

The nephews are not up yet.
Les neveux ne sont pas encore levés.

– Ce café n'est pas sucré…

– Vraiment, ce sucrier n'est pas pratique…

– J'ai trouvé la solution !

lunch • le déjeuner

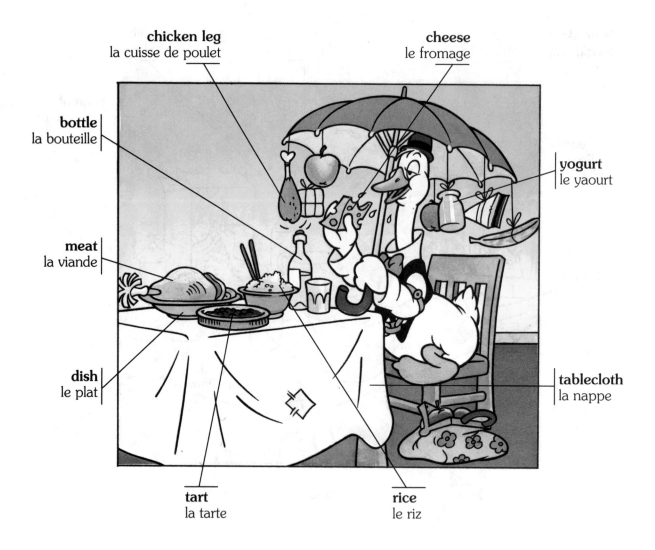

chicken leg
la cuisse de poulet

cheese
le fromage

bottle
la bouteille

yogurt
le yaourt

meat
la viande

dish
le plat

tablecloth
la nappe

tart
la tarte

rice
le riz

Gladstone eats a lot.
Gontran mange beaucoup.

The cheese is delicious.
Le fromage est délicieux.

– Tu vois bien qu'il n'y a rien
à manger !

– Ça a marché ! Il va repartir chez lui !

– Boum !

dinner · le dîner

Gladstone has emptied the fridge.
Gontran a vidé le réfrigérateur.

**The soup
is boiling hot.**
La soupe
est brûlante.

Donald is angry.
Donald est en colère.

water
l'eau

frying pan
la poêle

soup tureen
la soupière

ladle
la louche

soup
la soupe

fish
le poisson

Gladstone is not a real sleepwalker!
Gontran n'est pas un vrai somnambule !

He likes fish.
Il aime le poisson.

– Mais où va-t-il ?

– Dans la cuisine ?

nature • la nature

the forest · la forêt

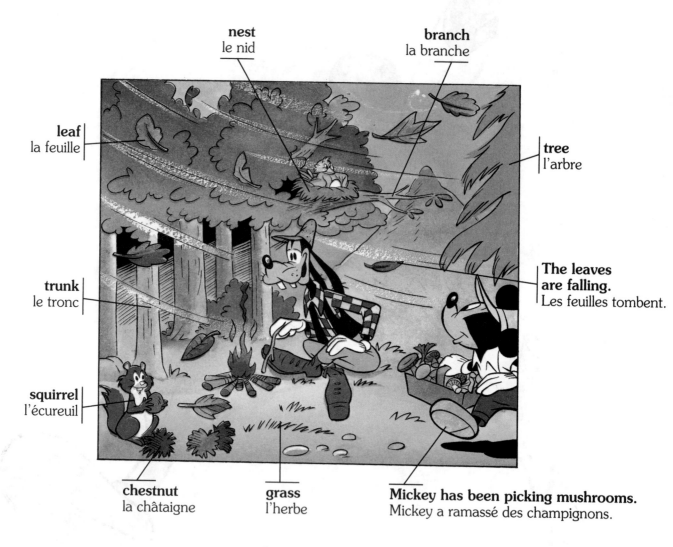

nest le nid

branch la branche

leaf la feuille

tree l'arbre

trunk le tronc

The leaves are falling. Les feuilles tombent.

squirrel l'écureuil

chestnut la châtaigne

grass l'herbe

Mickey has been picking mushrooms. Mickey a ramassé des champignons.

It is autumn. C'est l'automne.

They are in a clearing. Ils sont dans une clairière.

– Qu'est-ce qu'on mange aujourd'hui, les enfants ?
– Que diriez-vous d'une omelette aux œufs d'aigle ?
– Aux œufs d'aigle ?

– C'est délicieux ! Et je sais où en trouver dans la forêt !

– Un peu plus tard...
– Ne m'attendez pas ! Je serai un peu en retard !

the mountains • la montagne

chamois
le chamois

mountain
la montagne

peak
le sommet

eagle
l'aigle

deer
le chevreuil

chalet
le chalet

Goofy is behind Mickey.
Dingo est derrière Mickey.

track
le chemin

mountain stream
le torrent

Mickey is in front of Goofy.
Mickey est devant Dingo.

The valley is below.
La vallée est en bas.

The peak is above.
Le sommet est en haut.

– C'est amusant de récolter des œufs d'oiseau pour le musée…
– On garde le contact par le talkie-walkie !

– Plus tard...
– Bzzz Bzzz
– Je me demande ce que veut Dingo…

– Tu as trouvé quelque chose ?
– Non, c'est moi qui ai été trouvé !

the countryside • la campagne

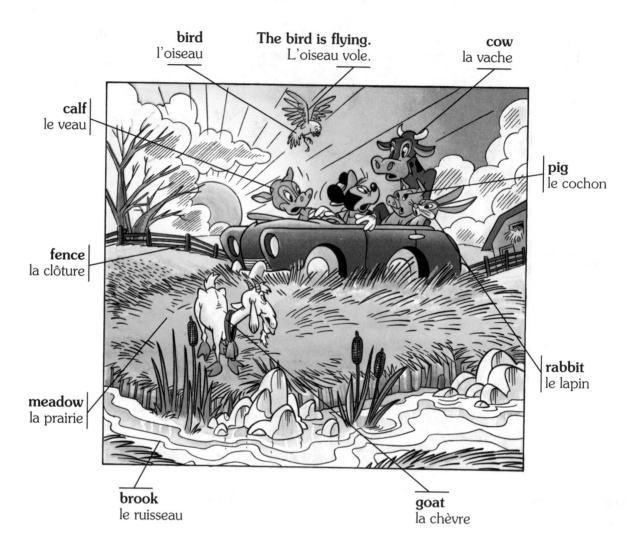

bird
l'oiseau

The bird is flying.
L'oiseau vole.

cow
la vache

calf
le veau

pig
le cochon

fence
la clôture

meadow
la prairie

rabbit
le lapin

brook
le ruisseau

goat
la chèvre

The sun is rising: it is very early.
Le soleil se lève : il est très tôt.

What a beautiful landscape!
Quel beau paysage !

– C'est trop dangereux de conduire dans le brouillard ! Je vais m'arrêter et attendre un peu.

– Le matin...
– Je me suis endormi ! Enfin, le brouillard s'est dissipé...

– C'est sûr qu'il y a eu du brouillard !

flowers • les fleurs

rose
la rose

carnation
l'œillet

bouquet
le bouquet

tulip
la tulipe

bee
l'abeille

stem
la tige

What a lovely smell!
Ça sent bon !

This flower has wilted.
Cette fleur est fanée.

petals
les pétales

daisy
la marguerite

There are only flowers here; there are no green plants.
Il n'y a que des fleurs, il n'y a pas de plantes vertes.

– Oh ! excusez-moi !
– Fleuriste

– Minnie, laisse-moi t'expliquer !

the river • la rivière

fishing rod
la canne à pêche

fish
le poisson

bank
la rive

fisherman
le pêcheur

fir tree
le sapin

pebble
le caillou

bridge
le pont

He caught a fine fish.
Il a pêché un beau poisson.

canoe
le canoë

The river is deep.
La rivière est profonde.

The water is flowing under the bridge.
L'eau coule sous le pont.

– C'est un vrai canoë… Je l'ai construit
comme les Indiens !
– Il ne semble pas solide…

– Nous coulons !
– Mais non ! Dans une minute, nous serons au
milieu de la rivière !

– Reviens, Dingo ! Reviens !

the sea • la mer

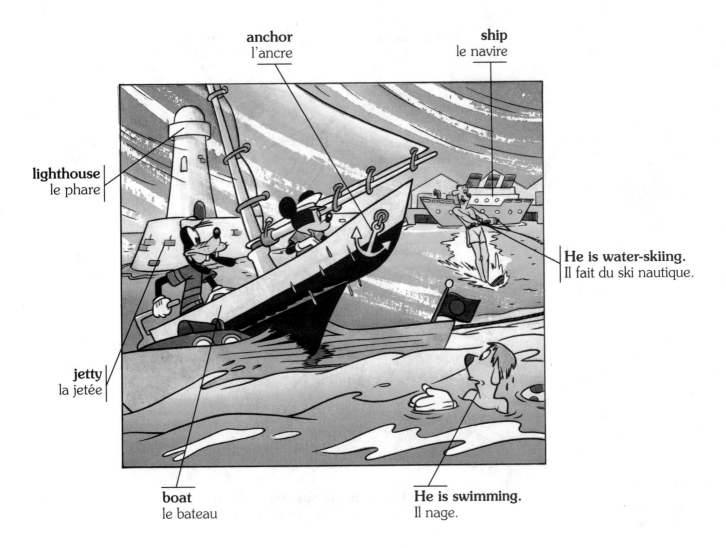

anchor
l'ancre

ship
le navire

lighthouse
le phare

He is water-skiing.
Il fait du ski nautique.

jetty
la jetée

boat
le bateau

He is swimming.
Il nage.

There is a ship in the harbour.
Il y a un navire dans le port.

The wind is blowing.
Le vent souffle.

GET THE SAIL DOWN! THERE'S TOO MUCH WIND!

I'M TRYING!

Descends la voile ! Il y a trop de vent !
J'essaie !

MICKEY!

I CAN'T DO IT!

– Mickey !
– Je n'y arrive pas !

I DON'T SUPPOSE YOU'D BE INTERESTED IN AN EXPLANATION...

POLICE

– Police
– J'imagine que mes explications ne vous intéressent pas...

the sky • le ciel

flying saucer
la soucoupe volante

moon
la lune

cloud
le nuage

There is a crescent moon.
Il y a un croissant de lune.

aeroplane
l'avion

owl
la chouette

star
l'étoile

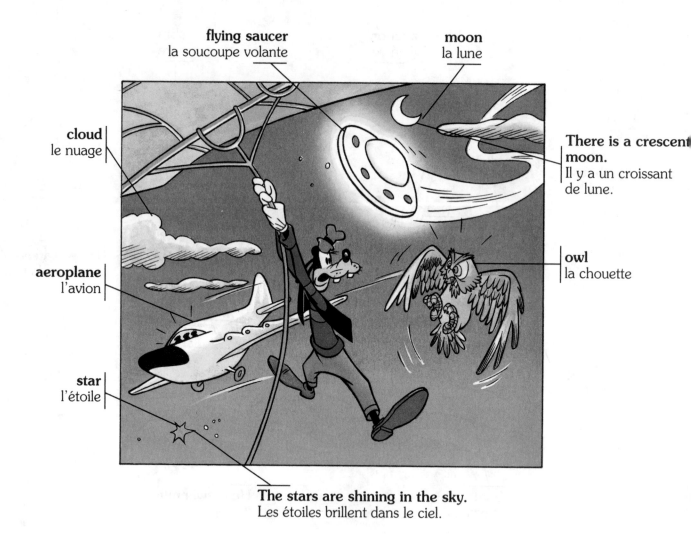

The stars are shining in the sky.
Les étoiles brillent dans le ciel.

The flying saucer is crossing the sky.
La soucoupe volante traverse les airs.

It is a hectic night.
La nuit est agitée.

– J'ai une idée ! Je vais fabriquer mon cerf-volant comme si c'était une mouette !
– Je vois…

– Et voilà ! Je m'envole comme une… Ooh !

– Et maintenant, explique-moi comment je redescends !

the storm • l'orage

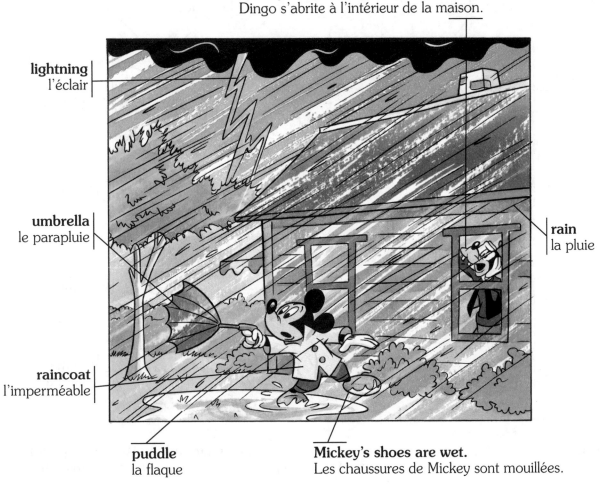

Goofy is sheltering inside the house.
Dingo s'abrite à l'intérieur de la maison.

lightning
l'éclair

umbrella
le parapluie

raincoat
l'imperméable

rain
la pluie

puddle
la flaque

Mickey's shoes are wet.
Les chaussures de Mickey sont mouillées.

It is windy!
Il y a du vent !

Thunder can be heard.
On entend le tonnerre.

– Je vais accrocher mon baromètre pour voir
le temps qu'il va faire… Oooh !

– Il est bloqué !
– Beau temps
– Pluie

– Je crois que j'ai fait une bêtise…

the farm • la ferme

cat
le chat

cock
le coq

The cat is on the roof.
Le chat est sur le toit.

The hen is in the henhouse.
La poule est dans le poulailler.

farmer
le fermier

horse
le cheval

hen
la poule

dog
le chien

duck
le canard

kennel
la niche

The duck is swimming in the pond.
Le canard nage dans la mare.

pig
le cochon

The dog is faithful; he is guarding the house.
C'est un chien fidèle ; il garde la maison.

How many animals are there?
Combien y a-t-il d'animaux ?

The farmer is riding his horse.
Le fermier monte à cheval.

– J'ai décidé d'installer une girouette sur mon toit !
– Bonne idée !

– Quelques jours plus tard…
– Je vais rendre visite à Dingo… Il doit avoir fini sa girouette…

– J'ai l'impression que j'ai mal lu le mode d'emploi…

wild animals • les animaux sauvages

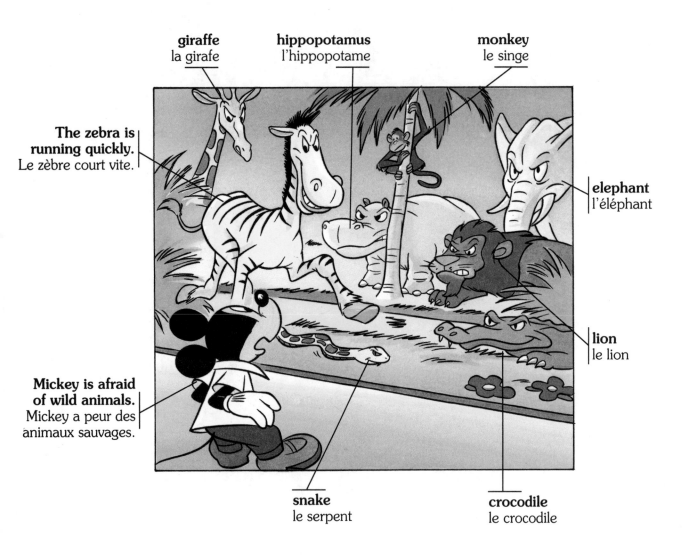

giraffe
la girafe

hippopotamus
l'hippopotame

monkey
le singe

The zebra is running quickly.
Le zèbre court vite.

elephant
l'éléphant

Mickey is afraid of wild animals.
Mickey a peur des animaux sauvages.

lion
le lion

snake
le serpent

crocodile
le crocodile

Watch out! The lion looks cross.
Attention ! Le lion a l'air méchant.

The giraffe has a long neck.
La girafe a un long cou.

– Mais Minnie… je n'ai pas demandé qu'on tapisse mon salon…
– Mais viens voir comme ces nouveaux papiers peints sont étonnants !…

– Regarde ! On dirait un véritable jardin ! Ça te plaît ?
– Oui… j'ai failli me tromper…

– Attends de voir ce que j'ai choisi pour ton salon !

– Plus tard

leisure • les loisirs

the airport • l'aéroport

Arrivals
Arrivées

This plane is taking off.
Cet avion décolle.

Departures
Départs

aeroplane
l'avion

hangar
le hangar

This plane is landing.
Cet avion atterrit.

air hostess
l'hôtesse de l'air

customs officer
le douanier

customs
la douane

A woman is showing her passport to the customs officer.
Une femme montre son passeport au douanier.

– C'est toi qui fais l'atterrissage, aujourd'hui…
– Mais… Mais…

– C'est bien ! Vas-y doucement, maintenant !

– Bravo ! Je n'aurais pas fait mieux !
– Au secours !

the beach • la plage

palm tree
le palmier

The sun is shining.
Le soleil brille.

He is building a sand castle.
Il fait un château de sable.

beach umbrella
le parasol

sunglasses
les lunettes de soleil

bathing suit
le maillot de bain

rubber ring
la bouée

shells
les coquillages

sand
le sable

She is sun-tanned.
Elle est bronzée.

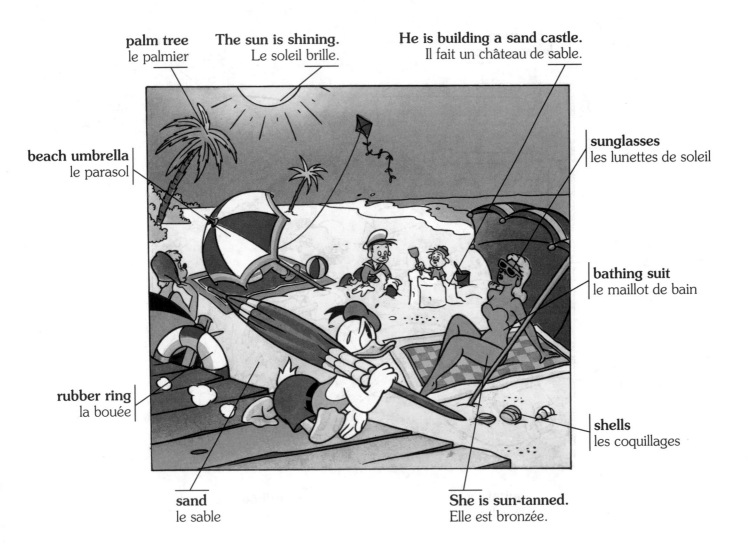

They are on holiday.
Ils sont en vacances.

The weather is fine; it is summer.
Il fait beau, c'est l'été.

Il y a beaucoup de monde !...

– Où vais-je me mettre ?

camping • le camping

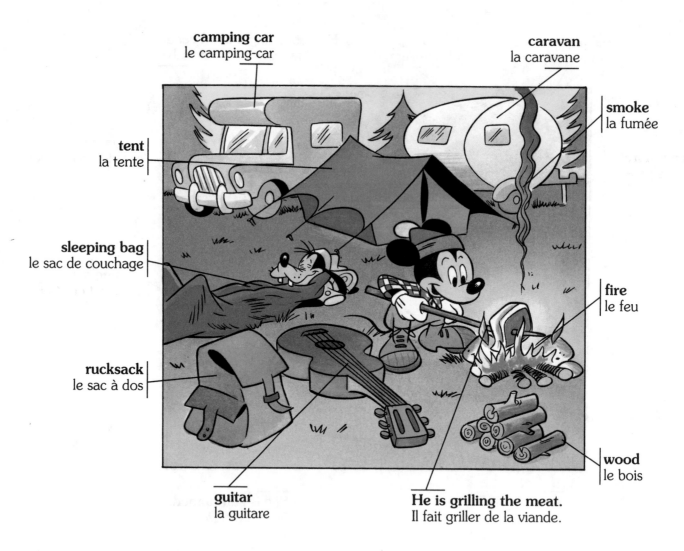

camping car
le camping-car

caravan
la caravane

smoke
la fumée

tent
la tente

sleeping bag
le sac de couchage

fire
le feu

rucksack
le sac à dos

wood
le bois

guitar
la guitare

He is grilling the meat.
Il fait griller de la viande.

Mickey is warming himself beside the fire.
Mickey se réchauffe auprès du feu.

Mickey loves camping.
Mickey adore faire du camping.

– Alors, Dingo, tu es content d'avoir dormi
à la belle étoile ?
– Oui...

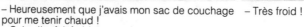

– Heureusement que j'avais mon sac de couchage
pour me tenir chaud !
– Oui... Il a fait froid cette nuit...

– Très froid !

toys and games • les jouets et les jeux

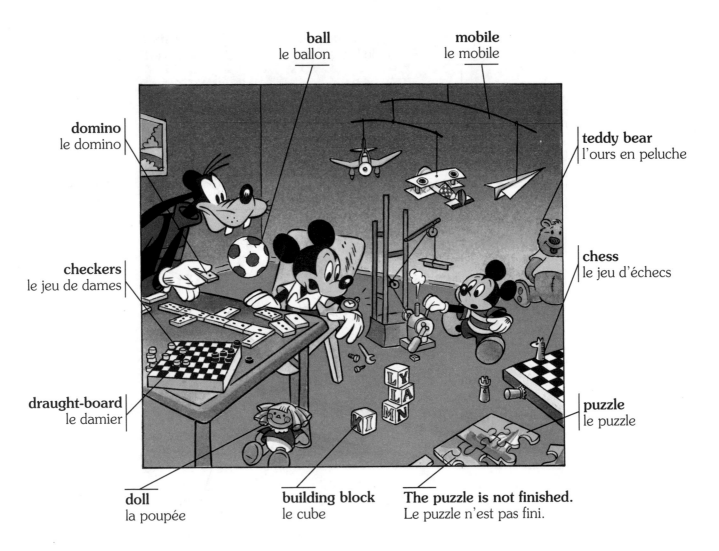

ball
le ballon

mobile
le mobile

domino
le domino

teddy bear
l'ours en peluche

checkers
le jeu de dames

chess
le jeu d'échecs

draught-board
le damier

puzzle
le puzzle

doll
la poupée

building block
le cube

The puzzle is not finished.
Le puzzle n'est pas fini.

The playroom is untidy.
Il y a du désordre dans la salle de jeux.

The doll's name is Caroline.
La poupée s'appelle Caroline.

– Allons, Michou ! Au lit !
– Je veux encore jouer, Mickey !

– Va te coucher !
– Je m'amusais bien avec vous !

– Cette partie de dominos m'ennuyait. Je préfère
les jouets de Michou !
– Moi aussi !

the zoo • le zoo

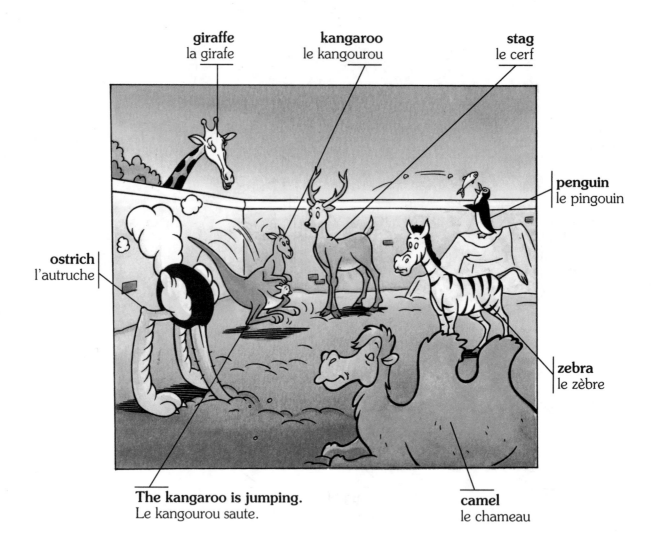

giraffe
la girafe

kangaroo
le kangourou

stag
le cerf

ostrich
l'autruche

penguin
le pingouin

zebra
le zèbre

The kangaroo is jumping.
Le kangourou saute.

camel
le chameau

The penguin is catching a fish.
Le pingouin attrape un poisson.

The ostrich is hiding.
L'autruche se cache.

– De quoi me parles-tu ?
Mon autruche donne le mauvais
exemple aux autres animaux ?

– Bon, je vais au zoo voir ce qu'il se
passe…

painting · la peinture

pencil
le crayon

ruler
la règle

rubber
la gomme

This painting is a masterpiece!
Ce tableau est un chef-d'œuvre !

There are paint stains on his smock.
Il y a des taches de peinture sur son tablier.

palette
la palette

canvas
la toile

tube of paint
le tube de peinture

paper
le papier

paint brush
le pinceau

The artist paints well.
L'artiste peint bien.

He has painted Donald's portrait.
Il a fait le portrait de Donald.

– Ce n'est vraiment pas cher…
– J'ai besoin de manger ! Je suis un pauvre artiste affamé !
– Je peins votre portrait pour 2 $

music • la musique

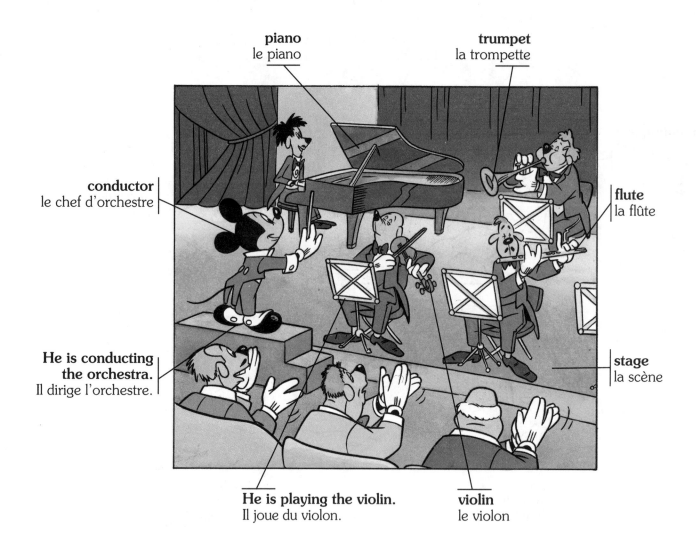

piano
le piano

trumpet
la trompette

conductor
le chef d'orchestre

flute
la flûte

**He is conducting
the orchestra.**
Il dirige l'orchestre.

stage
la scène

He is playing the violin.
Il joue du violon.

violin
le violon

The audience is clapping.
Le public applaudit.

– Je ne savais pas que tu donnais un concert ici !
– Ah bon ?
– Entrée des artistes

the concert • le concert

He is a good musician.
C'est un bon musicien.

singer
le chanteur

electric guitar
la guitare électrique

saxophone
le saxophone

microphone
le micro

drums
la batterie

synthesizer
le synthétiseur

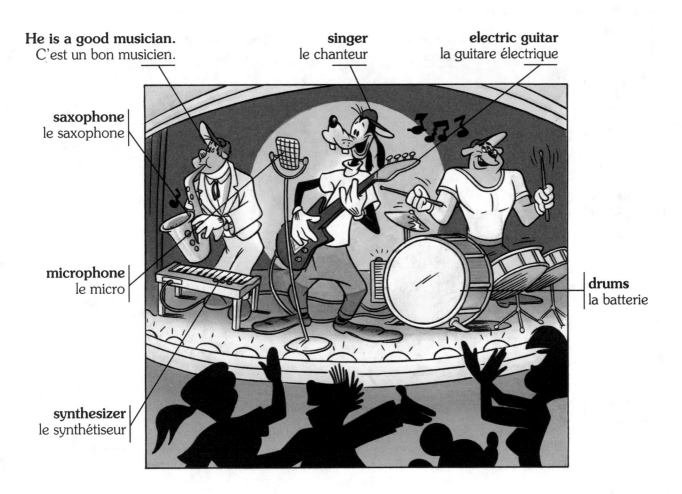

He is singing out of tune.
Il chante faux.

Everybody is dancing.
Tout le monde danse.

Concours de musique

– Plus tard
– Une harpe ?
– Oui, j'ai changé d'instrument !

the cinema • le cinéma

actor
l'acteur

The hero fights back.
Le héros se défend.

projector
le projecteur

hero
le héros

screen
l'écran

seat
le fauteuil

aisle
l'allée

He is screaming.
Il crie.

The viewers are enthralled.
Les spectateurs sont captivés.

How exciting!
Quel suspense !

The film is scary.
Le film est effrayant.

– J'adore les films d'horreur… Je ne vois pas l'écran…

– Excusez-moi, pouvez-vous enlever votre chapeau ?

– Ooooh !

the park • le parc

He is sliding down the slide.
Il glisse sur le toboggan.

fountain
la fontaine

slide
le toboggan

park attendant
le gardien

bench
le banc

swing
la balançoire

puschair
la poussette

I'M THIRSTY!

J'ai soif !

sport • les sports

the stadium • le stade

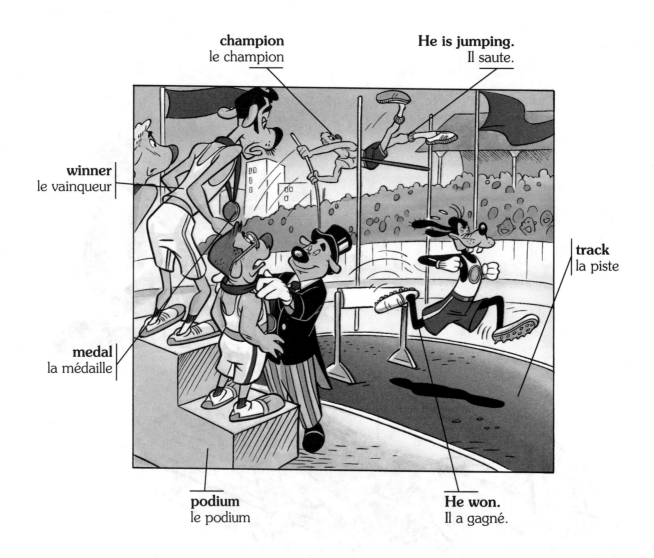

champion
le champion

He is jumping.
Il saute.

winner
le vainqueur

track
la piste

medal
la médaille

podium
le podium

He won.
Il a gagné.

Goofy is running.
Dingo court.

– Oublie les autres athlètes ! Concentre-toi sur ta course : ferme les yeux et cours !
– Tu peux compter sur moi !

– Dingo !
– Arrivée

– Je crois que c'est le moment d'ouvrir les yeux...

sportsgear • l'équipement

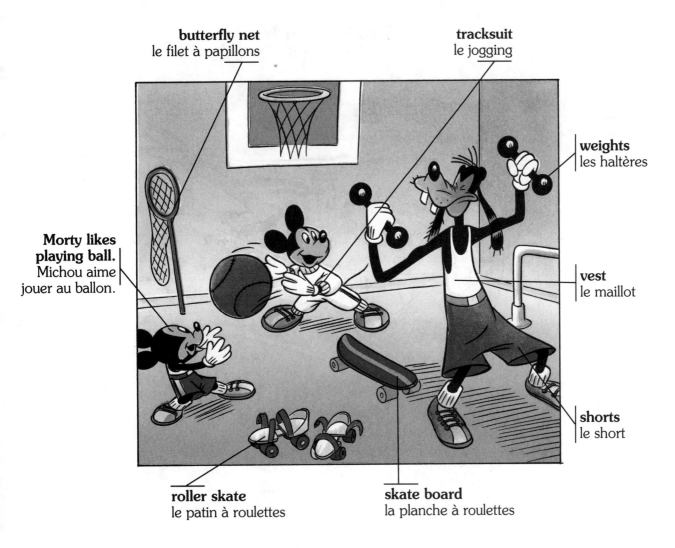

butterfly net
le filet à papillons

tracksuit
le jogging

weights
les haltères

**Morty likes
playing ball.**
Michou aime
jouer au ballon.

vest
le maillot

shorts
le short

roller skate
le patin à roulettes

skate board
la planche à roulettes

They are in the gym.
Ils sont au gymnase.

Minnie prefers gymnastics.
Minnie préfère la gymnastique.

faut que je prenne un peu d'exercice.

– Qu'est-ce qu'il est fort pour un papillon !

– Tu as arrêté la chasse aux papillons ?
– Oui, c'est trop dangereux !

table tennis • le tennis de table

Goofy is winning the match.
Dingo est en train de gagner la partie.

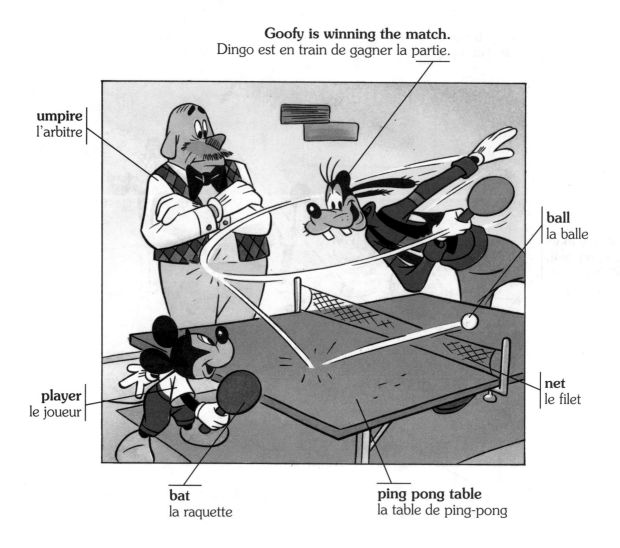

umpire
l'arbitre

ball
la balle

player
le joueur

net
le filet

bat
la raquette

ping pong table
la table de ping-pong

It is the match point.
C'est la balle de match.

YOU PLAY WELL GOOFY, BUT YOU WAVE YOUR ARMS A LOT!

I'M SO EXCITED BY THE GAME THAT I CAN'T KEEP STILL.

– Tu joues bien, Dingo, mais tu gesticules beaucoup !
– Ce match me passionne tellement que je ne tiens plus en place.

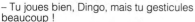

skiing • le ski

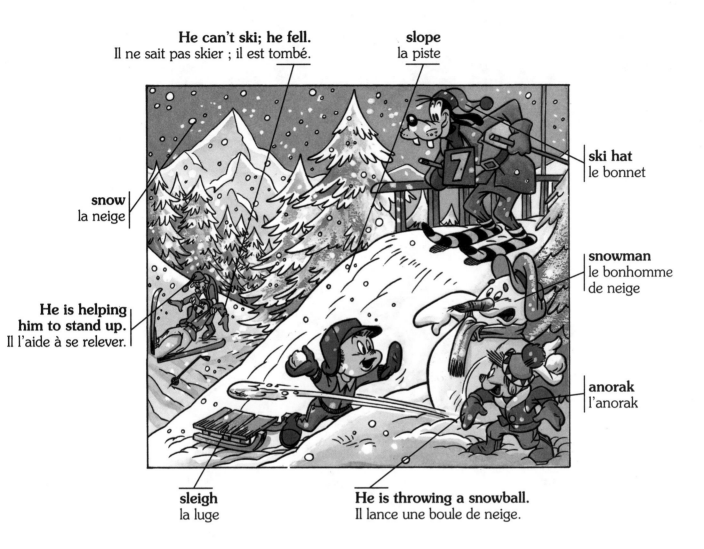

He can't ski; he fell.
Il ne sait pas skier ; il est tombé.

slope
la piste

ski hat
le bonnet

snow
la neige

snowman
le bonhomme
de neige

**He is helping
him to stand up.**
Il l'aide à se relever.

anorak
l'anorak

sleigh
la luge

He is throwing a snowball.
Il lance une boule de neige.

It is snowing; it is winter.
Il neige, c'est l'hiver.

It is cold.
Il fait froid.

Quel dommage que tu ne puisses pas
faire la course !
Je n'ai pas d'argent pour m'acheter
les skis…

– Amidon

– J'aurais dû y penser bien avant !

holidays • la fête

Christmas • la fête de Noël

ball
la boule

Father Christmas
le père Noël

Christmas tree
l'arbre de Noël

fireplace
la cheminée

garland
la guirlande

log
la bûche

Dewey is admiring his present.
Riri admire son cadeau.

Father Christmas has come.
Le père Noël est passé.

– Voilà la dinde, Donald !

– L'aile ou la cuisse ?

the picnic • le pique-nique

sandwich
le sandwich

kite
le cerf-volant

Dewey is smiling.
Fifi sourit.

ant
la fourmi

camera
l'appareil photo

**Huey is
taking a photo.**
prend une photo.

chicken
le poulet

basket
le panier

tomato
la tomate

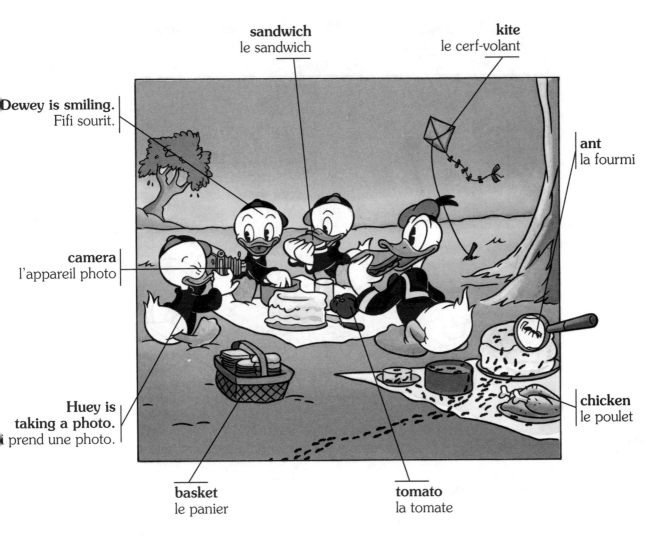

It is a cold meal.
C'est un repas froid.

It is Sunday; everyone is having a picnic, even the ants!
C'est dimanche, tout le monde pique-nique, même les fourmis !

the birthday party • l'anniversaire

He is giving him a sweet.
Il lui donne un bonbon.

He is giving Louie a present.
Il offre un cadeau à Loulou.

orange juice
le jus d'orange

birthday cake
le gâteau
d'anniversaire

lemonade
la limonade

bar of chocolate
la tablette de chocolat

lollipop
la sucette

Huey is blowing out the candles on the cake.
Fifi souffle les bougies du gâteau.

It is the nephews' birthday.
C'est l'anniversaire des neveux.

– Nos invités ne sont pas arrivés…
– … pour notre goûter d'anniversaire.
– Nous pouvons manger la glace ?
– Non, attendez encore un petit peu !

– Et maintenant…
– … tu nous permets…
– … de la manger ?
– D'accord ! Je vous le permets !

– Mais d'abord,
vous devez
vous changer…

– Invitation.

the circus • le cirque

rider
l'écuyère

spectator
le spectateur

cage
la cage

ring
la piste

clown
le clown

juggler
le jongleur

tamer
le dompteur

It is the end of the performance.
C'est la fin du spectacle.

The performers are parading.
Les artistes défilent.

C'est un bel appartement, au
premier étage sur la cour.
Ça ne va pas. Je cherche un
appartement qui donne sur la rue.
À louer

– Il faut que je
me dépêche !

– Au deuxième étage
sur la rue… c'est 500 $
par mois.
– Aucune importance !
Je veux le visiter !

– Le salon… Admirez ce
tableau du XIVᵉ siècle…

Annexes

Verbes irréguliers anglais

B		
be	was, were	been
bet	bet	bet
blow	blew	blown
build	built	built
buy	bought	bought

C		
catch	caught	caught
choose	chose	chosen
come	came	come
cut	cut	cut

D		
do	did	done
drink	drank	drunk
drive	drove	driven

E		
eat	ate	eaten

F		
fall	fell	fallen
fight	fought	fought
find	found	found
fly	flew	flown
forget	forgot	forgotten

G		
get	got	got
give	gave	given
go	went	gone
grow	grew	grown

H		
have	had	had
hear	heard	heard
hold	held	held

K		
keep	kept	kept
know	knew	known

L		
learn	learnt (learned)	learnt (learned)
leave	left	left
lend	lent	lent
lie	lay	lain

M		
make	made	made
meet	met	met

P		
pay	paid	paid
put	put	put

R		
read	read	read
ride	rode	ridden
ring	rang	rung
run	ran	run

S		
say	said	said
see	saw	seen
sell	sold	sold
shine	shone	shone
show	showed	shown (showed)
sing	sang	sung
sink	sank	sunk
sit	sat	sat
sleep	slept	slept
smell	smelt (smelled)	smelt (smelled)
speak	spoke	spoken
stand	stood	stood
swim	swam	swum

T		
take	took	taken
teach	taught	taught
tell	told	told
think	thought	thought

U		
understand	understood	understood

W		
wake	woke	woken
wear	wore	worn
win	won	won
write	wrote	written

Numerals • Les nombres

Cardinal numbers • Les nombres cardinaux

nought	0	zéro		seventy	70	soixante-dix
one	1	un		seventy-five	75	soixante-quinze
two	2	deux		eighty	80	quatre-vingts
three	3	trois		eighty-one	81	quatre-vingt-un
four	4	quatre		ninety	90	quatre-vingt-dix
five	5	cinq		ninety-one	91	quatre-vingt-onze
six	6	six		a/one hundred	100	cent
seven	7	sept		a hundred and one	101	cent un
eight	8	huit		a hundred and two	102	cent deux
nine	9	neuf		a hundred and fifty	150	cent cinquante
ten	10	dix		two hundred	200	deux cents
				two hundred and one	201	deux cent un
				two hundred and two	202	deux cent deux
				a/one thousand	1000	mille
				a thousand and one	1001	mille un
				a thousand and two	1002	mille deux
				two thousand	2000	deux mille
				a/one million	1000000	un million
				two million	2000000	deux millions

Ordinal numbers
Les nombres ordinaux

first	1st	1er	premier
second	2nd	2e	deuxième
third	3rd	3e	troisième
fourth	4th	4e	quatrième
fifth	5th	5e	cinquième
sixth	6th	6e	sixième
seventh	7th	7e	septième
eighth	8th	8e	huitième
ninth	9th	9e	neuvième
tenth	10th	10e	dixième
eleventh	11th	11e	onzième
twelfth	12th	12e	douzième
thirteenth	13th	13e	treizième
fourteenth	14th	14e	quatorzième
fifteenth	15th	15e	quinzième
sixteenth	16th	16e	seizième
seventeenth	17th	17e	dix-septième
eighteenth	18th	18e	dix-huitième
nineteenth	19th	19e	dix-neuvième
twentieth	20th	20e	vingtième
twenty-first	21st	21e	vingt et unième
twenty-second	22nd	22e	vingt-deuxième
thirtieth	30th	30e	trentième

eleven	11	onze
twelve	12	douze
thirteen	13	treize
fourteen	14	quatorze
fifteen	15	quinze
sixteen	16	seize
seventeen	17	dix-sept
eighteen	18	dix-huit
nineteen	19	dix-neuf
twenty	20	vingt
twenty-one	21	vingt et un
twenty-two	22	vingt-deux
thirty	30	trente
forty	40	quarante
fifty	50	cinquante
sixty	60	soixante

What time is it?
Quelle heure est-il ?

4.00   **It is four o'clock.**
Il est quatre heures.

4.05   **It is five (minutes) past four.**
Il est quatre heures cinq.

4.15   **It is (a) quarter past four.**
Il est quatre heures et quart.

It is twelve o'clock. / It is noon.
Il est midi.

4.30   **It is half past four. / It is four thirty.**
Il est quatre heures et demie.

4.45   **It is (a) quarter to five.**
Il est cinq heures moins le quart.

4.50   **It is ten to five.**
Il est cinq heures moins dix.

It is twelve o'clock. / It is midnight.
Il est minuit.

the date • la date

days les jours		**months** les mois
Monday lundi	*Thursday, 1st May 1994* *(the first of May nineteen ninety-four)* *Jeudi 1er mai 1994*	**January** janvier
Tuesday mardi		**February** février
		March mars
Wednesday mercredi	*Friday, 2nd May 1994* *(the second of May nineteen ninety-four)* *Vendredi 2 mai 1994*	**April** avril
		May mai
Thursday jeudi		**June** juin
	Saturday, 3rd May 1994 *(the third of May nineteen ninety-four)* *Samedi 3 mai 1994*	**July** juillet
Friday vendredi		**August** août
		September septembre
Saturday samedi		**October** octobre
	Sunday, 4th May 1994 *(the fourth of May nineteen ninety-four)* *Dimanche 4 mai 1994*	**November** novembre
Sunday dimanche		**December** décembre

Tableau des signes phonétiques

Prononciation de l'anglais

Voyelles et diphtongues	Consonnes

Voyelles et diphtongues

[iː] s**ee**, p**o**lice
[iə] b**eer**, r**eal**
[i] b**i**t, min**u**te

[e] b**e**t, s**ai**d
[ei] d**a**te, n**ai**l
[ɛə] b**ear**, **air**

[æ] c**a**t, pl**a**n
[ai] fl**y**, l**i**fe
[ɑː] **ar**t, **a**sk

[au] h**ou**se
[ɔ] l**o**t, wh**a**t
[ɔː] **a**ll, s**aw**

[ɔi] b**oi**l, t**oy**
[ou] l**ow**, s**oa**p
[uː] sh**oe**, t**oo**

[juː] f**ew**
[u] p**u**t, w**oo**l
[uə] p**oor**, s**ure**

[ʌ] c**u**t, s**o**me
[əː] b**ur**n, l**ear**n
[ə] **a**long, Austral**ia**

Consonnes

[p] **p**ath, to**p**
[b] **b**ut, ta**b**
[t] **t**ap, ma**tt**er
[d] **d**og, la**dd**er
[k] **c**at, **k**ey, **qu**ick
[g] **g**o
[f] **f**at, **ph**one
[v] **v**eal
[s] **S**aturday, ra**c**e
[z] **z**ero, choo**s**e
[ʃ] di**sh**, **st**ation
[ʒ] mea**s**ure
[tʃ] **ch**arm, ri**ch**
[dʒ] **j**u**dg**e, a**g**e
[θ] **th**atch, fif**th**
[ð] **th**at
[h] **h**at
[l] a**ll**, **l**ady
[r] **r**ed
[r] bette**r**, he**r**e (*représente un r final qui se prononce en liaison devant une voyelle*)
[m] **m**atch
[n] **n**o
[ŋ] si**ng**, si**nk**
[j] **y**esterday
[w] **w**all
['] *marque l'accent tonique, précède la syllabe*

Index

Abréviations

adjectif	*adj.*
adverbe	*adv.*
féminin	*f.*
interjection	*interj.*
invariable	*inv.*
masculin	*m.*
nom	*n.*
pluriel	*pl.*
verbe	*v.*

Anglais – Français

A

actor, tress ['æktə^r, tris] *n.* : acteur, trice **80**
addition [ə'diʃ(ə)n] *n.* : addition *n. f.* **28**
admire [əd'maiə^r] *v.* : admirer **90**
aeroplane ['eərəplein] *n.* : avion *n. m.* **66, 72**
be***afraid** [bi:ə'freid] : avoir* peur **10, 69**
air hostess [eə^rhoustis] *f.* : hôtesse de l'air *f.* **72**
airport ['eəpɔ:t] *n.* : aéroport *n. m.* **72**
aisle [aisl] *n.* : allée *n. f.* **80**
alarm clock [ə'lɑ:mklɔk] : réveil *n. m.* **12, 31**; réveille-matin *n. m. inv.* **11**
a lot (of) [ə'lɔt(ɔv)] : beaucoup (de) **41, 56, 86**
always ['ɔ:lwəz, -wiz] *adv.* : toujours **29**
amazing [ə'meiziŋ] *adj.* : étonnant, ante **69**
ambulance ['æmbjuləns] *n.* : ambulance *n. f.* **49**
anchor ['æŋkə^r] *n.* : ancre *n. f.* **65**
angry ['æŋgri] *adj.* : en colère **57**
animal ['ænim(ə)l] *n.* : animal *n. m.* **68, 69, 76**
ankle boot ['æŋl(ə)lbu:t] : bottine *n. f.* **42**
anorak ['ænəræk] *n.* : anorak *n. m.* **87**
ant [ænt] *n.* : fourmi *n. f.* **91**
appearance [ə'piərəns] *n.* : aspect physique *m.* **36**
appearances [ə'piərənsiz] *n. pl.* : apparences *n. f. pl.* **27**
apple ['æpl] *n.* : pomme *n. f.* **53**
arithmetic [ə'riθmətik] *n.* : calcul *n. m.* **28**
arm [ɑ:m] *n.* : bras *n. m.* **35, 47**
armchair ['ɑmtʃeə^r] *n.* : fauteuil *n. m.* **11**
arrival [ə'raiv(ə)l] *n.* : arrivée *n. f.* **72**
artist ['ɑ:tist] *n.* : artiste **77**
ask for directions [ɑ:skfɔ:^rd(a)i'rekʃ(ə)ns] : demander son chemin **18**
fall***asleep** [fɔ:lə'sli:p] *v.* : s'endormir* **62**
athlete ['æθli:t] *n.* : athlète **84**
at last [æt'lɑ:st] *adv.* : enfin **30, 62**
audience ['ɔ:djəns] *n.* : public *n. m.* **78**
aunt [ɑ:nt] *n. f.* : tante **34**
autumn ['ɔ:təm] *n.* : automne *n. m.* **60**

B

baby ['beibi] *n.* : bébé *n. m.* **35, 48**
babysitter ['beibisitə^r] *n.* : baby-sitter *n. f.* **37**
back [bæk] *n.* : dos *n. m.* **46**; cour *n. f.* **93**
baker ['beikə^r] *n.* : boulanger, ère **20**
bakery ['beikəri] *n.* : boulangerie *n. f.* **20**
balcony ['bælkəni] *n.* : balcon *n. m.* **9**
ball [bɔ:l] *n.* : balle *n. f.* **86**; ballon *n. m.* **85, 75**; boule *n. f.* **90**
banana [bə'nɑ:nə] *n.* : banane *n. f.* **53**
bank [bæŋk] *n.* : rive *n. f.* **64**
bank note ['bæŋknout] : billet *n. m.* **21**
bannisters ['bænistəz] *n. pl.* : rampe *n. f.* **10**
barometer [bə'rɔmitə^r] *n.* : baromètre *n. m.* **67**
basket ['bɑ:skit] *n.* : panier *n. m.* **91**
bat [bæt] *n.* : raquette *n. f.* **86**
bath [bɑ:θ] *n.* : baignoire *n. f.* **15**
have* a **bath** [[hævə'bɑ:θ] : prendre* un bain **15**

bathing suit [beiθiŋs(j)u:t] : maillot de bain *m.* **73**
bathrobe ['bɑ:θroub] *n.* : peignoir *n. m.* **15**
bathroom ['bɑ:θru:m] *n.* : salle de bains *f.* **15**
be *[bi:] *v.* : être* **21, 35, 85**
beach [bi:tʃ] *n.* : plage *n. f.* **73**
beach umbrella [bi:tʃʌm'brelə] : parasol *n. m.* **73**
bead [bi:d] *n.* : perle *n. f.* **43**
bear ['beə^r] *n.* : ours *n. m.* **30, 38**
beard [biəd] *n.* : barbe *n. f.* **37**
beautiful ['bju:tif(u)l] *adj.* : beau, bel, belle **62, 93**
bed [bed] *n.* : lit *n. m.* **13**
bedroom ['bedru(:)m] *n.* : chambre *n. f.* **12**
bedside table ['bedsaidteibl] : table de chevet *f.* **11**
bee [bi:] *n.* : abeille *n. f.* **63**
be *hungry** [bi:'hʌngri] : avoir* faim **54**
be *late** [bi:leit] : être* en retard **22**
believe [bi'li:v] *v.* : croire* **9**
belt [belt] *n.* : ceinture *n. f.* **41**
bench [ben(t)ʃ] *n.* : banc *n. m.* **81**
be *out of work** [bi:autɔv'wɔ:k] : être* au chômage **36**
best [best] *adj.* : meilleur, eure **29**
bet *[bet] *v.* : parier **52**
be *thirsty** [bi:'θɔ:sti] : avoir* soif **54, 81**
better ['betə^r] *adv.* : mieux **72**
bicycle ['baisikl] *n.* : vélo *n. m.* **18**
big [big] *adj.* : grand **42**, large **40**
bike [baik] *n.* : vélo *n. m.* **19**
bird [bɔ:d] *n.* : oiseau *n. m.* **61, 62**
birthday ['bɔ:θdei] *n.* : anniversaire *n. m.* **92**
birthday party ['bɔ:θdei'pɑ:ti] : goûter d'anniversaire *m.* **92**
black [blæk] *adj.* : noir, noire **29**
blackboard ['blækbɔ:d] *n.* : tableau *n. m.* **26**
blanket ['blæŋkit] *n.* : couverture *n. f.* **11**
blond, blonde [blɔnd] *adj.* : blond, onde **37**
blouse [blauz] *n.* : chemisier *n. m.* **39**
blow *[blou] *v.* : souffler **65, 92**
blue [blu:] *adj.* : bleu, bleue **29**
boat [bout] *n.* : bateau *n. m.* **65**
body ['bɔdi] *n.* : corps *n. m.* **46, 47**
bone [boun] *n.* : os *n. m.* **54**
book [buk] *n.* : livre *n. m.* **11, 27, 30**
boot [bu:t] *n.* : botte *n. f.* **42**
bottle [bɔtl] *n.* : bouteille *n. f.* **56**
bottom ['bɔtəm] *n.* : fesses *n. f. pl.* **46**
bouquet [bu'kei] *n.* : bouquet *n. m.* **63**
bow tie [boutai] : nœud papillon *m.* **39**
boy [bɔi] *n. m.* : garçon **35**
bracelet ['breislit] *n.* : bracelet *n. m.* **43**
branch [brɑ:n(t)ʃ] *n.* : branche *n. f.* **60**
bread [bred] *n.* : pain *n. m.* **55**
break *[breik] *v.* : casser **14**
breakfast ['brekfəst] *n.* : petit déjeuner *m.* **55**
breast [brest] *n.* : aile *n. f.* **90**
breathe [bri:θ] *v.* : respirer **49**
bridge [bridʒ] *n.* : pont *n. m.* **64**
brooch [broutʃ] *n.* : broche *n. f.* **43**
brook [bruk] *n.* : ruisseau *n. m.* **62**
brown [braun] *adj.* : marron *adj. inv.* **29**
brush one's teeth [brʌʃwʌnsti:θ] : se brosser les dents **15**

build *[bild] *v.* : construire* **64**
building ['bildiŋ] *n.* : immeuble *n. m.* **18**
building block ['bildiŋblɔk] : cube *n. m.* **75**
bullfighter [bulfaitə^r] *n.* : torero *n. m.* **40**
bus [bʌs] *n.* : autobus *n. m.* **23**
bus fare [bʌsfeər] : ticket de bus *m.* **28**
bus stop [bʌsstɔp] : arrêt de bus *m.* **23**
butcher ['bʌtʃə^r] *n.* : boucher *n. m.* **20**
butcher's shop ['bʌtʃəsʃɔp] : boucherie *n. f.* **20**
butter ['bʌtə^r] *n.* : beurre *n. m.* **55**
butterfly ['bʌtəflai] *n.* : papillon *n. m.* **85**
butterfly net ['bʌtəflainet] : filet à papillons *m.* **85**
buy *[bai] *v.* : acheter **9, 21, 52**
bye ! [bai] *interj.* : au revoir ! **8, 14**

C

cabbage ['kæbidʒ] *n.* : chou *n. m.* **52**
cage [keidʒ] *n.* : cage *n. f.* **93**
cake [keik] *n.* : gâteau *n. m.* **14, 92**
calf *pl.* **calves** [kɑ:f, kɑ:vz] *n.* : veau *n. m.* **62**
camel ['kæm(ə)l] *n.* : chameau *n. m.* **76**
camera ['kæm(ə)rə] *n.* : appareil photo *m.* **91**
camp [kæmp] *v.* : faire* du camping **74**
camping ['kæmpiŋ] *n.* : camping *n. m.* **74**
camping car ['kæmpiŋkɑ:^r] : camping-car *n. m.* **74**
can *[kæn] *v.* : pouvoir* **80**
candle ['kænd(ə)l] *n.* : bougie *n. f.* **92**
canoe [kə'nu:] *n.* : canoë *n. m.* **64**
canvas ['kænvəs] *n.* : toile *n. f.* **77**
cap [kæp] *n.* : bonnet *n. m.* **41**; casquette *n. f.* **40**
car [kɑ:^r] *n.* : voiture *n. f.* **18, 19**
caravan ['kærəvæn] *n.* : caravane *n. f.* **74**
carnation [kɑ:'neiʃ(ə)n] *n.* : œillet *n. m.* **63**
car park [kɑ:^rpɑ:k] : parking *n. m.* **18**
carriage ['kæridʒ] *n.* : wagon *n. m.* **22**
carrot ['kærət] *n.* : carotte *n. f.* **52**
cashier [kæ'ʃiə^r] *n.* : caissier, ière **21**
cash register [kæʃ'redʒistə^r] *n.* : caisse *n. f.* **21**
cat [kæt] *n.* : chat, chatte **68**
catch *[kætʃ] *v.* : attraper **76**; pêcher **64**
cause [kɔ:z] *v.* : provoquer **19**
century ['sentjuri] *n.* : siècle *n. m.* **93**
cereal ['siəriəl] *n.* : céréales *n. f. pl.* **55**
chair [tʃeə^r] *n.* : chaise *n. f.* **54**
chalet ['ʃælei] *n.* : chalet *n. m.* **61**
chamois ['ʃæmwɑ:] *n.* : chamois *n. m.* **61**
champion ['tʃæmpiən] *n.* : champion, onne **84**
change [tʃein(d)ʒ] *n.* : monnaie *n. f.* **21**
change [tʃein(d)ʒ] *v.* : changer **79**
cheap [tʃi:p] *adj.* : bon marché *adj. inv.* **21**
check [tʃek] *v.* : vérifier **20**
checkers ['tʃekəz] *n. pl.* : jeu de dames *m.* **75**
cheek [tʃi:k] *n.* : joue *n. f.* **48**
cheese [tʃi:z] *n.* : fromage *n. m.* **56**
cherry ['tʃeri] *n.* : cerise *n. f.* **53**
chess [tʃes] *n.* : jeu d'échecs *m.* **75**
chestnut ['tʃes(t)nʌt] *n.* : châtaigne *n. f.* **60**

chicken ['tʃikin] n. : poulet n. m. 20, 56, 91
chief [tʃiːf] n. : chef n. m. 38
child pl. **children** [tʃaild, 'tʃildrən] n. : enfant 27, 35
chimney ['tʃimni] n. : cheminée n. f. 9
chin [tʃin] n. : menton n. m. 48
chocolate ['tʃɔklət] n. : chocolat n. m. 92
choose * [tʃuːz] v. : choisir 69
Christmas ['krisməs] n. : Noël n. m. 90
cinema ['sinəmə] n. : cinéma n. m. 80
circle ['səːk(ə)l] n. : cercle n. m. 30
circus ['səːkəs] n. : cirque n. m. 93
clap [klæp] v. : applaudir 78
class [klɑs] n. : classe n. f. 26
classroom ['klɑːsruːm] n. : salle de classe f. 26
clean [kliːn] adj. : propre 15
clean up [kliːnʌp] v. : faire * le ménage 34
clearing [kliərin] n. : clairière n. f. 60
clock [klɔk] n. : horloge n. f. 22
close * [klouz] v. : fermer 84
closed [klouzd] adj. : fermé, ée 9, 20, 30
clothes [klouðz] n. pl. : vêtements n. m. pl. 39, 40, 41
cloud [klaud] n. : nuage n. m. 66
clown [klaun] n. : clown n. m. 93
coat [kout] n. : manteau n. m. 40
coatstand [kout'stænd] n. : portemanteau n. m. 40
cock [kɔk] n. : coq n. m. 68
coffee ['kɔfi] n. : café n. m. 55
coffee-pot ['kɔfipɔt] n. : cafetière n. f. 55
coin [kɔin] n. : pièce n. f. 21
cold [kould] adj. : froid, froide 74, 87, 91
colour ['kʌlər] n. : couleur n. f. 29
comb [koum] n. : peigne n. m. 15
come * **back** [kʌmbæk] v. : revenir * 64
comfortable ['kʌmfətəbl] adj. : confortable 11
competition [kɔmpi'tiʃ(ə)n] n. : concours n. m. 79
concentrate [kɔnsəntreit] v. : se concentrer 84
concert ['kɔnsət] n. : concert n. m. 78, 79
conductor [kən'dʌktər] n. : chef d'orchestre m. 78
cook [kuk] v. : faire * la cuisine 14
cooker ['kukər] n. : cuisinière n. f. 14
counter ['kauntər] n. : comptoir n. m. 21
country(side) ['kʌntri(said)] n. : campagne n. f. 62
court shoe [kɔːtʃuː] : escarpin n. m. 42
cousin ['kʌz(ə)n] n. : cousin, ine 34, 36
cow [kau] n. : vache n. f. 62
cream [kriːm] n. : crème n. f. 14
crocodile ['krɔkədail] n. : crocodile n. m. 69
cross (the street) [krɔs(θə)striːt)] v. : traverser (la rue) 18, 19
crossroads ['krɔsrouds] n. pl. : carrefour n. m. 18
cuckoo clock ['kukuːklɔk] : coucou n. m. 31
cup [kʌp] n. : tasse n. f. 55
cupboard ['kʌbəd] n. : placard n. m. 14
customs ['kʌstəms] n. pl. : douane n. f. 72
customs officer ['kʌstəms'ɔfisər] : douanier, ière 72
cut * [kʌt] v. : couper 35
cute [kjuːt] adj. : mignon, onne 48

D

daisy ['deizi] n. : marguerite n. f. 63
dance [dɑːns] n. : bal n. m. 39
dance [dɑːns] v. : danser 79
dangerous ['dein(d)ʒ(ə)rəs] adj. : dangereux, euse 62, 85
dark [dɑːk] adj. : sombre 10; foncé, ée 29; brun, une 37
daughter ['dɔːtər] n. f. : fille 34
day [dei] n. : jour n. m. 68
decide [di'said] v. : décider 68
deep [diːp] adj. : profond, onde 64
deer ['diər] n. inv. : chevreuil n. m. 61
delicious [di'liʃəs] adj. : délicieux, ieuse 56, 60

departure [di'pɑːtjər] n. : départ n. m. 72
desk [desk] n. : bureau n. m. 26
die * [dai] v. : mourir * 49
dinner ['dinər] n. : dîner n. m. 57
diploma [di'ploumə] n. : diplôme n. m. 47
direction [d(a)i'rekʃ(ə)n] n. : direction n. f. 23
dirty ['dəːti] adj. : sale 15
dish [diʃ] n. : plat n. m. 54, 56
do * **the dishes** [duːθədiʃiz] : faire * la vaisselle 14
division [di'viʒ(ə)n] n. : division n. f. 28
doctor ['dɔktər] n. : médecin n. m. 49
dog [dɔg] n. : chien, chienne 68
doll [dɔl] n. : poupée n. f. 9, 75
dollar ['dɔlər] n. : dollar n. m. 28, 47
domino ['dɔminou] n. : domino n. m. 75
door [dɔːr] n. : porte n. f. 9
draught-board [drɑːftbɔːd] n. : damier n. m. 75
drawer ['drɔːər] n. : tiroir n. m. 41
drawing room ['drɔːinruːm] : salon n. m. 93
dress [dres] n. : robe n. f. 39
dressing gown ['dresinɡaun] : robe de chambre f. 13
drink * [drink] v. : boire * 55
drive * [draiv] v. : conduire * 23, 62
drive * **mad** [draivmæd] : énerver 11
driver ['draivər] n. : conducteur, trice 23
drums [drʌms] n. pl. : batterie n. f. 79
duck [dʌk] n. : canard n. m. 68
dustbin ['dʌs(t)bin] n. : poubelle n. f. 14
dynamite ['dainəmait] n. : dynamite n. f. 19

E

eagle ['iːgl] n. : aigle n. m. 60, 61
ear ['iər] n. : oreille n. f. 48
early ['əːli] adv. : tôt 62
earring ['iːərin] n. : boucle d'oreille f. 43
eat * [iːt] v. : manger 54, 56, 60, 77, 92
egg [eg] n. : œuf n. m. 55, 60, 61
eiderdown ['aidədaun] n. : édredon n. m. 13
elbow ['elbou] n. : coude n. m. 47
electric [i'lektrik] adj. : électrique 79
elephant ['elifənt] n. : éléphant n. m. 69
emerald ['em(ə)rəld] n. : émeraude n. f. 43
empty ['em(p)ti] adj. : vide 30
empty ['em(p)ti] v. : vider 57
end [end] n. : fin n. f. 93
engine ['end3in] n. : locomotive n. f. 22
enthrall [in'θrɔːl] v. : captiver 80
excellent ['eksələnt] adj. : excellent, ente 26
exercise book ['eksəsaizbuk] : cahier n. m. 28
expensive [eks'pensiv] adj. : cher, ère 21, 77
explain [eks'plein] v. : expliquer 63
explanation [eksplə'neiʃ(ə)n] n. : explication n. f. 65
eye [ai] n. : œil n. m. 48, 84
eyebrow ['aibrau] n. : sourcil n. m. 48
eyelash ['ailæʃ] n. : cil n. m. 48

F

face [feis] n. : visage n. m. 48
faithful ['feiθf(u)l] adj. : fidèle 68
fall * [fɔːl] v. : tomber 60, 87
fall * **asleep** [fɔːlə'sliːp] v. : s'endormir * 62
family ['fæm(i)li] n. : famille n. f. 34
famous ['feiməs] adj. : célèbre 38
farm [fɑːm] n. : ferme n. f. 68
farmer ['fɑːmər] n. : fermier, ière 68
fat [fæt] adj. : gros, grosse 36
father ['fɑːðər] n. m. : père 34
fence [fens] n. : clôture n. f. 62
fertilizer ['fəːtilaizər] n. : engrais n. m. 52
fight * **back** [faitbæk] v. : se défendre * 80
figure ['figər] n. : chiffre n. m. 28
film [film] n. : film n. m. 80

find * [faind] v. : trouver 39, 60, 61
finger ['fingər] n. : doigt n. m. 47
finish ['finiʃ] n. : arrivée n. f. 84
fire ['faiər] n. : feu n. m. 74
fireplace ['faiəpleis] n. : cheminée n. f. 90
first [fəːst] adj. : premier, ière 40, 93
first of all [fəːstəvɔːl] adv. : d'abord 92
fir tree [fəːrtriː] : sapin n. m. 64
fish pl. **fishes** [fiʃ, 'fiʃiz] n. : poisson n. m. 57, 64, 76
fish bowl [fiʃboul] : aquarium n. m. 11
fisherman pl. **-men** ['fiʃəmæn, -men] n. m. : pêcheur, euse 64
fishing rod ['fiʃinrɔd] : canne à pêche f. 64
flat [flæt] n. : appartement n. m. 93
floor [flɔːr] n. : plancher n. m. 10; sol n. m. 43; étage n. m. 93
florist ['flɔrist] n. : fleuriste n. 63
flow [flou] v. : couler 64
flower ['flauər] n. : fleur n. f. 8, 63
flute [fluːt] n. : flûte n. f. 78
fly * [flai] v. : voler 62
flying saucer [flain'sɔːsər] : soucoupe volante f. 66
fog [fɔg] n. : brouillard n. m. 62
food [fuːd] n. : nourriture n. f. 51
foot pl. **feet** [fut, fiːt] n. : pied n. m. 42, 47
forbidden [fə'bidn] adj. : interdit, ite 18
forehead ['fɔːhed] n. : front n. m. 48
forest ['fɔrist] n. : forêt n. f. 60
forget * [fə'get] v. : oublier 22, 41, 84
fork [fɔːk] n. : fourchette n. f. 54
fountain ['fauntin] n. : fontaine n. f. 81
fridge [fridʒ] n. : réfrigérateur n. m. 57
friend [frend] n. : ami, ie 27
fringe [frindʒ] n. : frange n. f. 37
frown [fraun] v. : froncer les sourcils 46
fruit [fruːt] n. : fruits n. m. pl. 53
frying pan ['fraiŋpæn] : poêle n. f. 57
full [ful] adj. : plein, pleine 30
have * **fun** [hævfʌn] : s'amuser 27, 42, 75

G

game [geim] n. : jeu n. m. 75; partie n. f. 75; match n. m. 86
garage ['gærɑːʒ] n. : garage n. m. 9
garden ['gɑːd(ə)n] n. : jardin n. m. 8, 69
garland ['gɑːlənd] n. : guirlande n. f. 90
gentleman pl. **-men** ['dʒent(ə)lmæn, -men] n. m. : monsieur 23
get * **changed** [get'tʃein(d)ʒd] : se changer 92
get * **dressed** [get'dresd] v. : s'habiller 40
get * **up** [getʌp] v. : se lever 11
giraffe [dʒi'ræf, -'rɑːf] n. : girafe n. f. 69, 76
girl [gəːl] n. f. : fille 23, 35, 37, 39
give * [giv] v. : donner 92
glad [glæd] adj. : content, ente 74
glass [glɑːs] n. : verre n. m. 14, 54
glasses [glɑːsiz] n. pl. : lunettes n. f. pl. 46
glitter ['glitər] v. : briller 43
globe [gloub] n. : mappemonde n. f. 30
go * [gou] v. : aller * 20, 39, 57, 76
goat [gout] n. : chèvre n. f. 62
gold [gould] n. : or n. m. 43
goldfish ['gouldfiʃ] n. : poisson rouge m. 11
good [gud] adj. : bon, bonne 29, 79
go * **to bed** [goutuːbed] : aller * se coucher 75
grandfather ['græn(d)fɑːðər] n. m. : grand-père 34
grandmother ['græn(d)mʌðər] n. f. : grand-mère 34
grape [greip] n. : raisin n. m. 53
grass [grɑːs] n. : herbe n. f. 60
green [griːn] adj. : vert, verte 18, 29
green bean [griːnbiːn] : haricot vert m. 52
grey [grei] adj. : gris, grise 29
grill [gril] v. : faire * griller 74
grocer's shop ['grousəzʃɔp] : épicerie n. f. 20

on the **ground** [ɔnθəgraund] : par terre **27**
grow*[grou] v. : pousser **52**
guard [gɑːd] v. : garder **68**
guest [gest] n. : invité, ée **40, 92**
guitar [giˈtɑːʳ] n. : guitare n. f. **74, 79**
gym [dʒim] n. : gymnase n. m. **85**
gymnastics [dʒimˈnæstiks] n. pl. :
gymnastique n. f. **85**

H

hair [ˈhɛəʳ] n. : cheveux n. m. pl. **35, 48;**
chevelure n. f. **37**
half an hour [ˈhɑːfənˈauəʳ] : demi-heure n. f. **35**
hall [hɔːl] n. : couloir n. m. **10**
hand [hænd] n. : main n. f. **47;** aiguille n. f. **31**
hand basin [hændˈbeis(ə)n] : lavabo n. m. **15**
hangar [ˈhæŋəʳ] n. : hangar n. m. **72**
hang***up** [hæŋʌp] v. : accrocher **67**
happen [ˈhæp(ə)n] v. : se passer **76**
happy [ˈhæpi] adj. : heureux, euse **35;** content,
ente **30, 31, 38;** gai, gaie **15**
harbour [ˈhɑːbəʳ] n. : port n. m. **65**
harp [hɑːp] n. : harpe n. f. **79**
hat [hæt] n. : chapeau n. m. **40, 80**
head [hed] n. : tête n. f. **46**
have***a bath** [[hævəˈbɑːθ] : prendre*un bain **15**
have***a headache** [hævəˈhedeik] : avoir*mal à
la tête **49**
have***fun** [hævfʌn] : s'amuser **27, 42, 75**
headlight [ˈhedlait] n. : phare n. m. **19**
headmaster [hedˈmɑːstəʳ] n. m. : directeur,
trice **26**
health [helθ] n. : santé n. f. **49**
heart [hɑːt] n. : cœur n. m. **49**
heavy [ˈhevi] adj. : lourd, lourde **22**
hectic [ˈhektik] adj. : agité, ée **66**
hedge [hedʒ] n. : haie n. f. **8**
heel [hiːl] n. : talon n. m. **42**
help [help] n. : aide n. f. **26**
help ! [help] interj. : au secours ! **72**
help [help] v. : aider **28, 87**
hen [hen] n. : poule n. f. **68**
henhouse [ˈhenhaus] n. : poulailler n. m. **68**
hero [ˈhiərou] n. : héros n. m. **80**
hide*[haid] v. : se cacher **76**
hippopotamus pl. **-muses, -mi** [hipəˈpɔtəməs,
-məsiz, -mai] n. : hippopotame n. m. **69**
hold*[hould] v. : porter **35**
holiday [ˈhɔlidei] n. : fête n. f. **89**
holidays [ˈhɔlideiz] n. pl. : vacances n. f. pl. **22, 73**
homework [ˈhoumwərk] n. : devoirs n. m. pl. **28**
honey [ˈhʌni] n. : miel n. m. **55**
hoot [huːt] v. : klaxonner **19**
hope [houp] v. : espérer **29**
horse [hɔːs] n. : cheval n. m. **68**
hospital [ˈhɔspit(ə)l] n. : hôpital n. m. **49**
hour [auəʳ] n. : heure n. f. **31, 35**
house [haus] n. : maison n. f. **7, 9, 10, 67, 68**
human [ˈhjuːm(ə)n] adj. : humain, aine adj. **47**
be***hungry** [biːˈhʌngri] : avoir*faim **54**
hunt [hʌnt] v. : chasser **38**
hurry [ˈhʌri] v. : se dépêcher **93**
husband [ˈhʌzbənd] n. m. : mari **34**

I

ice cream [ˈaiskriːm] : glace n. f. **92**
idea [aiˈdiːə] n. : idée n. f. **66, 68**
impossible [imˈpɔsibl] adj. : impossible **9**
Indian [ˈindiən] n. : Indien, ienne **64**
Indian [ˈindiən] adj. : indien, ienne **38**
influence [ˈinfluəns] n. : influence n. f. **26**
injection [inˈdʒekʃ(ə)n] n. : piqûre n. f. **49**
inkwell [ˈiŋkwel] n. : encrier n. m. **30**
instrument [ˈinstrumənt] n. : instrument n. m. **79**

invitation [inviˈteiʃ(ə)n] n. : invitation n. f. **92**
invite [inˈvait] v. : inviter **38**

J

jacket [ˈdʒækit] n. : veste n. f. **39, 40**
jam [dʒæm] n. : confiture n. f. **55**
jeans [dʒiːnz] n. pl. : jean n. m. **40**
jetty [ˈdʒeti] n. : jetée n. f. **65**
jewellery [ˈdʒuːəlri] n. : bijoux n. m. pl. **43**
job [dʒɔb] n. : travail n. m. **29**
juggler [ˈdʒʌgləʳ] n. : jongleur, euse **93**
juice [dʒuːs] n. : jus n. m. **92**
jump [dʒʌmp] v. : sauter **76, 84**

K

kangaroo [kæŋgəˈruː] n. : kangourou n. m. **76**
keep***one's mouth shut** [kiːpwʌnsmauθʃʌt] :
se taire***38**
kennel [ˈken(ə)l] n. : niche n. f. **68**
key [kiː] n. : clé n. f. **9**
kilo [ˈkiːlou] n. : kilo n. m. **20**
kitchen [ˈkitʃin] n. : cuisine n. f. **14, 57**
kite [kait] n. : cerf-volant n. m. **66, 91**
knee [niː] n. : genou n. m. **47**
knife pl. **knives** [naif, naivz] n. : couteau n. m. **54**
know*[nou] v. : savoir***29, 41, 60**

L

ladle [ˈleidl] n. : louche n. f. **57**
lady [ˈleidi] n. f. : dame n. f. **23, 46**
lamp [læmp] n. : lampe n. f. **11**
land [lænd] v. : atterrir **72**
landscape [ˈlæn(d)skeip] n. : paysage n. m. **62**
late [leit] adv. : tard **13, 29**
be***late** [biːleit] : être*en retard **22**
lawn [lɔːn] n. : pelouse n. f. **8;** gazon n. m. **8**
lawn mower [ˈlɔːnmouəʳ] : tondeuse à gazon f. **8**
leaf pl. **leaves** [liːf, liːvz] n. : feuille n. f. **60**
learn*[ləːn] v. : apprendre***27, 30**
leave*[liːv] v. : laisser **54**
leek [liːk] n. : poireau n. m. **52**
leg [leg] n. : jambe n. f. **47;** cuisse n. f. **56, 90**
leisure [ˈleʒəʳ] n. : loisirs n. m. pl. **71**
lemonade [leməˈneid] n. : limonade n. f. **92**
let*[let] v. : laisser **13**
lettuce [ˈletis] n. : salade n. f. **52**
light [lait] n. : lumière n. f. **10**
(traffic) light [(ˈtræfik)lait] n. : feu (de
signalisation) n. m. **18**
light [lait] adj. : clair, claire **29**
lighthouse [ˈlaithaus] n. : phare n. m. **65**
lightning [ˈlaitniŋ] n. : éclair n. m. **67**
like [laik] v. : aimer **57**
lion [ˈlaiən] n. : lion, lionne **69**
listen [ˈlis(ə)n] v. : écouter **30**
live [liv] v. : habiter **9**
lock [lɔk] n. : serrure n. f. **9**
log [lɔg] n. : bûche n. f. **90**
lollipop [ˈlɔlipɔp] n. : sucette n. f. **92**
long [lɔŋ] adj. : long, longue **37, 69**
look after [lukˈɑːftəʳ] v. : soigner **49**
look for [lukfɔːʳ] v. : chercher **93**
lorry [ˈlɔri] n. : camion n. m. **23**
love [lʌv] v. : aimer **8**
lovely [ˈlʌvli] adj. : beau, bel, belle **9, 31, 53;**
joli, ie **39**
luck [lʌk] n. : chance n. f. **31**
luggage [ˈlʌgidʒ] n. : bagages n. m. pl. **22**
lunch [lʌn(t)ʃ] n. : déjeuner n. m. **56**
be***lying down** [biːlaiŋdaun] : être*allongé,
ée **47**

M

magic [ˈmædʒik] adj. : magique **52**
man pl. **men** [mæn, men] n. m. : homme **35**
marble [ˈmɑːbl] n. : bille n. f. **27**
masseur, euse [mæˈsəʳ, mæˈsəːz] n. : masseur,
euse **47**
masterpiece [ˈmɑːstəpiːs] n. : chef-d'œuvre
n. m. **77**
mattress [ˈmætris] n. : matelas n. m. **11**
meadow [ˈmedou] n. : prairie n. f. **62**
meal [miːl] n. : repas n. m. **91**
meat [miːt] n. : viande n. f. **56, 74**
medal [ˈmed(ə)l] n. : médaille n. f. **84**
medicine [ˈmed(i)sin] n. : médicament n. m.
14, 49
mess [mes] n. : désordre n. m. **34**
microphone [ˈmaikrəfoun] n. : micro n. m. **79**
milk [milk] n. : lait n. m. **21, 55**
minute [ˈminit] n. : minute n. f. **31**
mirror [ˈmirəʳ] n. : miroir n. m. **15**
make***a mistake** [meikəmisˈteik] : faire*une
erreur **28**
mobile [ˈmoubail] n. : mobile n. m. **75**
money [ˈmʌni] n. : argent n. m. **21**
monkey [ˈmʌŋki] n. : singe n. m. **69**
month [mʌnθ] n. : mois n. m. **93**
moon [muːn] n. : lune n. f. **66**
morning [ˈmɔːniŋ] n. : matin n. m. **52, 62**
moth [mɔθ] n. : mite n. f. **41**
mother [ˈmʌðəʳ] n. f. : mère **34,** maman **35**
motorcycle [ˈmoutəsaikl] n. : moto n. f. **23**
mountain [ˈmauntin] n. : montagne n. f. **61**
mountain stream [ˈmauntinstriːm] : torrent
n. m. **61**
moustache [məsˈtɑːʃ] n. : moustache n. f. **37**
mouth [mauθ] n. : bouche n. f. **48**
multiplication [mʌltipliˈkeiʃ(ə)n] n. :
multiplication n. f. **28**
muscled [ˈmʌsld] adj. : musclé, ée **47**
museum [mjuː(ː)ˈziəm] n. : musée n. m. **61**
mushroom [ˈmʌʃrum] n. : champignon n. m. **60**
music [ˈmjuːzik] n. : musique n. f. **78, 79**
musician [mjuːˈziʃ(ə)n] n. : musicien, ienne **79**

N

napkin [ˈnæpkin] n. : serviette n. f. **54**
narrow [ˈnærou] adj. : étroit, oite **10**
nature [ˈneitʃəʳ] n. : nature n. f. **59**
neck [nek] n. : cou n. m. **46, 69**
necklace [ˈneklis] n. : collier n. m. **43**
need [niːd] v. : avoir*besoin **36**
nephew [ˈnefju] n. m. : neveu n. m. **55, 92**
nest [nest] n. : nid n. m. **60**
net [net] n. : filet n. m. **86**
new [njuː] adj. : nouveau, vel, velle **69;** neuf,
neuve **39**
nice [nais] adj. : gentil, ille **38**
niece [niːs] n. f. : nièce n. f. **37**
night [nait] n. : nuit n. f. **66**
nightcap [ˈnaitkæp] n. : bonnet de nuit m. **13**
nose [nouz] n. : nez n. m. **48**
now [nau] adv. : maintenant **66, 72, 92**
nurse [nəːs] n. : infirmière n. f. **49**

O

okay ! [ˈouˈkei] interj. : d'accord ! **92**
old [ould] adj. : vieux, vieil, vieille **36**
omelet [ˈɔmlit] n. : omelette n. f. **60**
onion [ˈʌnjən] n. : oignon n. m. **52**
open [ˈoup(ə)n] adj. : ouvert, erte **30**
open [ˈoup(ə)n] v. : ouvrir***84**
orange [ˈɔrin(d)ʒ] n. : orange n. f. **53, 92**
orange [ˈɔrin(d)ʒ] adj. : orange adj. inv. **29**

orchestra [ˈɔːkistrə] *n.* : orchestre *n. m.* **78**
ostrich [ɔˈstriʃ] *n.* : autruche *n. f.* **76**
other [ˈʌθəʳ] *adj.* : autre **76**
be*ˈout of work** [biːˈautɒvˈwəːk] : être* au chômage **36**
oven [ˈʌv(ə)n] *n.* : four *n. m.* **14**
owl [aul] *n.* : chouette *n. f.* **66**

P

page [peidʒ] *n.* : page *n. f.* **26**
paint [peint] *v.* : peindre* **77**
paint brush [peintˈbrʌʃ] : pinceau *n. m.* **77**
painting [ˈpeintiŋ] *n.* : peinture *n. f.* **77**; tableau *n. m.* **77, 93**
palette [ˈpælit] *n.* : palette *n. f.* **77**
palm tree [paːmtriː] : palmier *n. m.* **73**
paper [ˈpeipəʳ] *n.* : papier *n. m.* **77**
paper [ˈpeipəʳ] *v.* : tapisser **69**
parade [pəˈreid] *v.* : défiler **93**
parcel [ˈpaːs(ə)l] *n.* : paquet *n. m.* **19**
park [paːk] *n.* : parc *n. m.* **81**
park [paːk] *v.* : stationner **18**
part [paːt] *n.* : partie *n. f.* : **47**
birthday **party** [ˈbəːθdeiˈpaːti] : goûter d'anniversaire *m.* **92**
passenger [ˈpæsəndʒəʳ] *n.* : passager, ère **23**
passport [ˈpaːspɔːt] *n.* : passeport *n. m.* **72**
path [paːθ] *n.* : allée *n. f.* **8**
pavement [ˈpeivmənt] *n.* : trottoir *n. m.* **18**
pay* [pei] *v.* : payer* **21**
pea [piː] *n.* : petit pois *m.* **52**
peach [piːtʃ] *n.* : pêche *n. f.* **53**
peak [piːk] *n.* : sommet *n. m.* **61**
pear [ˈpɛəʳ] *n.* : poire *n. f.* **53**
pebble [pebl] *n.* : caillou *n. m.* **64**
pedestrian [piˈdestriən] *n.* : piéton, onne **19**
peg [peg] *n.* : portemanteau *n. m.* **41**
pen [pen] *n.* : stylo *n. m.* **28**
pencil [ˈpens(ə)l] *n.* : crayon *n. m.* **77**
penguin [ˈpeŋgwin] *n.* : pingouin *n. m.* **76**
people [ˈpiːpl] *n.* : gens *n. m. pl.* **33**
pepper [ˈpepəʳ] *n.* : poivre *n. m.* **54**
performance [pəˈfɔːməns] *n.* : spectacle *n. m.* **93**
performer [pəˈfɔːməʳ] *n.* : artiste **93**
perhaps [pəˈhæps, præps] *adv.* : peut-être **49**
personality [pəːsəˈnæliti] *n.* : personnalité *n. f.* **38**
petal [pet(ə)l] *n.* : pétale *n. m.* **63**
petticoat [ˈpetikout] *n.* : jupon *n. m.* **39**
photo [ˈfoutou] *n.* : photo *n. f.* **46, 91**
take* a **photo** [teikəˈfoutou] : prendre* une photo **46, 91**
piano [piˈænou] *n.* : piano *n. m.* **78**
pick up [ˈpikʌp] *v.* : aller* chercher **37**
picnic [ˈpiknik] *n.* : pique-nique *n. m.* **91**
pig [pig] *n.* : cochon *n. m.* **62, 68**
pillow [pilou] *n.* : oreiller *n. m.* **13**
pineapple [ˈpainæpl] *n.* : ananas *n. m.* **53**
pink [piŋk] *n.* : rose **29**
plait [plæt] *n.* : tresse *n. f.* **37**
plane [plein] *n.* : avion *n. m.* **72**
plant [plaːnt] *n.* : plante *n. f.* **52, 63**
green **plant** [griːnˈplaːnt] : plante verte *f.* **63**
plant [plaːnt] *v.* : planter **8**
plate [pleit] *n.* : assiette *n. f.* **14, 54**
platform [ˈplætfɔːm] *n.* : quai *n. m.* **22**
play [plei] *v.* : jouer **27, 85, 86, 75, 78**
player [ˈpleiəʳ] *n.* : joueur, euse **86**
playground [ˈpleigraund] *n.* : cour *n. f.* **27**
playroom [ˈpleiruːm] *n.* : salle de jeux *f.* **75**
playtime [ˈpleitaim] *n.* : récréation *n. f.* **27**
pocket money [ˈpɔkitˈmʌni] : argent de poche *m.* **28**
podium *pl.* **-dia** [ˈpoudiəm, -diə] *n.* : podium *n. m.* **84**
police [pəˈliːs] *n.* : police *n. f.* **65**
policeman *pl.* **-men** [p(ə)ˈliːsmæn, -men] *n. m.* : agent de police *m.* **18**
polite [pəˈlait] *adj.* : poli, ie **38**

pond [pɔnd] *n.* : mare *n. f.* **68**
ponytail [ˈpouniteil] *n.* : queue de cheval *f.* **37**
poor [puəʳ] *adj.* : pauvre **38, 77**
portrait [ˈpɔːtreit] *n.* : portrait *n. m.* **77**
postman *pl.* **-men** [ˈpoustmæn, -men] *n. m.* : facteur *n. m.* **18**
post office [poustˈɔfis] : poste *n. f.* **18**
potato [p(ə)ˈteitou] *n.* : pomme de terre *f.* **52**
practical [ˈpræktik(ə)l] *adj.* : pratique **55**
present [ˈprezənt] *n.* : cadeau *n. m.* **90, 92**
price [prais] *n.* : prix *n. m.* **9**
projector [prəˈdʒektəʳ] *n.* : projecteur *n. m.* **80**
puddle [ˈpʌdl] *n.* : flaque *n. f.* **67**
pullover [ˈpulouvəʳ] *n.* : pull-over *n. m.* **41**
pumpkin [ˈpʌmpkin] *n.* : citrouille *n. f.* **52**
pupil [ˈpjuːp(i)l] *n.* : élève **26**
purple [ˈpəːpl] *adj.* : violet, ette **29**
purse [pəːs] *n.* : porte-monnaie *n. m. inv.* **21**
puschair [pʌstʃɛəʳ] *n.* : poussette *n. f.* **81**
put* [put] *v.* : poser **27**
puzzle [ˈpʌzl] *n.* : puzzle *n. m.* **75**
pyjamas [pəˈdʒaːməs] *n. pl.* : pyjama *n. m.* **13**

Q

question [ˈkwestʃ(ə)n] *n.* : question *n. f.* **27**
quickly [ˈkwikli] *adv.* : vite **69**

R

rabbit [ˈræbit] *n.* : lapin *n. m.* **62**
race [reis] *n.* : course *n. f.* **84**
radish [ˈrædiʃ] *n.* : radis *n. m.* **52**
rain [rein] *n.* : pluie *n. f.* **52, 67**
rain [rein] *v.* : pleuvoir* **52**
raincoat [ˈreinkout] *n.* : imperméable *n. m.* **40, 67**
raise [reiz] *v.* : augmentation *n. f.* **28**
rake [reik] *n.* : râteau *n. m.* **8**
read* [riːd] *v.* : lire* **11**
real [ˈriəl] *adj.* : vrai, vraie **57, 64**
really [ˈriəli] *adv.* : vraiment **55, 77**
record [riˈkɔːd] *n.* : disque *n. m.* **37**
rectangle [ˈrektæŋgl] *n.* : rectangle *n. m.* **30**
red [red] *adj.* : rouge **29**
red-haired [ˈredˈhɛəd] *adj.* : roux, rousse **37**
rent [rent] *v.* : louer **9, 93**
rice [rais] *n.* : riz *n. m.* **56**
rich [ritʃ] *adj.* : riche **38**
ride* a **horse** [raidəˈhɔːs] : monter à cheval **68**
rider [ˈraidəʳ] *n.* : écuyer, ère **93**
ring [riŋ] *n.* : bague *n. f.* **43**; piste *n. f.* **93**
ring* [riŋ] *v.* : sonner **11, 31**
ripe [raip] *adj.* : mûr, mûre **53**
river [ˈrivəʳ] *n.* : rivière *n. f.* **64**
road sign [roudsain] : panneau (de signalisation) *n. m.* **23**
roll [roul] *v.* : rouler **43**
roller skate [ˈrouləʳskeit] : patin à roulettes *m.* **85**
roof [ruːf] *n.* : toit *n. m.* **9, 68**
rose [rouz] *n.* : rose *n. f.* **63**
round [raund] *adj.* : rond, ronde **30**
rubber [ˈrʌbəʳ] *n.* : gomme *n. f.* **77**
rubber ring [ˈrʌbəʳriŋ] : bouée *n. f.* **73**
ruby [ˈruːbi] *n.* : rubis *n. m.* **43**
rucksack [ˈrʌksæk] *n.* : sac à dos *m.* **74**
rug [rʌg] *n.* : tapis *n. m.* **11**
ruler [ˈruːləʳ] *n.* : règle *n. f.* **77**
run* [rʌn] *v.* : courir* **27, 69, 84**
runway [ˈrʌnwei] *n.* : piste *n. f.* **72**

S

sail [seil] *n.* : voile *n. f.* **65**
sale [seil] *n.* : soldes *n. m. pl.* **31**
salesperson [seilzˈpəːs(ə)n] : vendeur, euse **21**

salt [sɔlt] *n.* : sel *n. m.* **54**
sand castle [sændkaːs(ə)l] : château de sable *m.* **73**
sand [sænd] *n.* : sable *n. m.* **73**
sandal [ˈsænd(ə)l] *n.* : sandale *n. f.* **47**
sandwich [ˈsændwitʃ] *n.* : sandwich *n. m.* **91**
satchel [ˈsætʃ(ə)l] *n.* : cartable *n. m.* **28**
saucepan [ˈsɔːspən] *n.* : casserole *n. f.* **14**
saxophone [ˈsæksəfoun] *n.* : saxophone *n. m.* **79**
say* [sei] *v.* : dire* **42**
school [skuːl] *n.* : école *n. f.* **25, 26, 27, 30**
schoolteacher [ˈskuːltiːtʃəʳ] *n.* : maître, maîtresse **26**
scream [skriːm] *v.* : crier **80**
screen [skriːn] *n.* : écran *n. m.* **80**
sea [siː] *n.* : mer *n. f.* **65**
seagull [ˈsiːgʌl] *n.* : mouette *n. f.* **66**
seat [siːt] *n.* : fauteuil *n. m.* **80**
second [ˈsekənd] *n.* : seconde *n. f.* **31**
second [ˈsekənd] *adj.* : deuxième **93**
see* [siː] *v.* : voir* **34, 46, 52, 53, 56, 67, 76, 80**
see you soon ! [siːjusuːn] *interj.* : à bientôt ! **8, 22**
sell* [sel] *v.* : vendre* **9, 21**
shampoo [ʃæmˈpuː] *n.* : shampooing *n. m.* **15**
shape [ʃeip] *n.* : forme *n. f.* **30**
sheet [ʃiːt] *n.* : drap *n. m.* **11**
shelf *pl.* **shelves** [ʃelf, ʃelvz] *n.* : étagère *n. f.* **14**
shell [ʃel] *n.* : coquillage *n. m.* **73**
shelter [ˈʃeltəʳ] *v.* : s'abriter **67**
shine* [ʃain] *v.* : briller **66, 73**
ship [ʃip] *n.* : navire *n. m.* **65**
shirt [ʃəːt] *n.* : chemise *n. f.* **41**
shoe [ʃuː] *n.* : chaussure *n. f.* **42, 67**
shoelace [ˈʃuːleis] *n.* : lacet *n. m.* **42**
shop [ʃɔp] *n.* : magasin *n. m.* **20**, boutique *n. f.* **20**
shop [ʃɔp] *v.* : faire* les courses **20**
short [ʃɔːt] *adj.* : court, courte **37, 40**
shorts [ʃɔːts] *n. pl.* : short *n. m.* **85**
shoulder [ˈʃouldəʳ] *n.* : épaule *n. f.* **46**
shovel [ˈʃʌv(ə)l] *n.* : pelle *n. f.* **8**
show* [ʃou] *v.* : montrer **72**; indiquer **31**
show* the way [ʃouθəˈwei] : montrer le chemin **18**
shutter [ˈʃʌtəʳ] *n.* : volet *n. m.* **9**
sick [sik] *adj.* : malade **49**
singer [ˈsiŋəʳ] *n.* : chanteur, euse **79**
sing* out of tune [siŋautɔvtjuːn] : chanter faux **79**
sink [siŋk] *n.* : évier *n. m.* **14**
sink* [siŋk] *v.* : couler **64**
be* **sitting down** [biːsitiŋdaun] : être* assis, se **11**
sitting-room [ˈsitiŋru(ː)m] *n.* : salon *n. m.* **69**, salle de séjour **11**
skate board [ˈskeitbɔːd] : planche à roulettes *f.* **85**
ski [ski] *n.* : ski *n. m.* **87**
ski [ski] *v.* : skier **87**
ski hat [skihæt] : bonnet *n. m.* **87**
skiing [skiːiŋ] *n.* : ski *n. m.* **87**
skirt [skəːt] *n.* : jupe *n. f.* **40**
sky [skai] *n.* : ciel *n. m.* **66**
sleep* [sliːp] *v.* : dormir* **13, 74**
sleeping bag [ˈsliːpiŋbæg] : sac de couchage *m.* **74**
sleepwalker [ˈsliːpwɔːkəʳ] *n.* : somnambule **57**
sleigh [slait] *n.* : luge *n. f.* **87**
slide [slaid] *n.* : toboggan *n. m.* **81**, barrette *n. f.* **37**
slide* [slaid] *v.* : glisser **81**
slipper [ˈslipəʳ] *n.* : chausson *n. m.* **41**
slope [sloup] *n.* : piste *n. f.* **87**
small [smɔːl] *adj.* : petit, ite **36**
smart [smaːt] *adj.* : élégant, ante **39**
smile [smail] *v.* : sourire* **91**
smock [smɔk] *n.* : tablier *n. m.* **77**
smoke [smouk] *n.* : fumée *n. f.* **74**
snake [sneik] *n.* : serpent *n. m.* **69**
snow [snou] *n.* : neige *n. f.* **87**
snow [snou] *v.* : neiger **87**
snowball [ˈsnoubɔːl] *n.* : boule de neige *f.* **87**
snowman *pl.* **-men** [snoumæn, -men] *n. m.* : bonhomme de neige **87**

soap [soup] n. : savon n. m. 15
sock [sɔk] n. : chaussette n. f. 41
solution [sə'luːʃ(ə)n] n. : solution n. f. 55
son [sʌn] n. m. : fils 34
soon [suːn] adv. : bientôt 11
be * **sorry** [biːˈsɔri] : être * désolé, ée 38
soup [suːp] n. : soupe n. f. 57
soup tureen [suːptjuəˈriːn] : soupière n. f. 57
spectator [spekˈteitəʳ] n. : spectateur, trice 93
sponge [spʌn(d)ʒ] n. : éponge n. f. 14
spoon [spuːn] n. : cuillère n. f. 54
sportsgear [spɔːtsgiəʳ] n. : équipement n. m. 85
sport [spɔːt] n. : sport n. m. 83
spring [ˈspriŋ] n. : printemps n. m. 8
square [ˈskwɛəʳ] n. : carré n. m. 30
squirrel [ˈskwir(ə)l] n. : écureuil n. m. 60
orange **squeezer** [ˈɔrin(d)ʒˈskwiːzəʳ] : presse-fruits n. m. inv. 36
stadium [ˈsteidiəm] n. : stade n. m. 84
stag [stæg] n. : cerf n. m. 76
stage [steidʒ] n. : scène n. f. 78
stain [stein] n. : tache n. f. 77
stairs [ˈstəz] n. pl. : escalier n. m. 10
stamp [stæmp] n. : timbre n. m. 21
stand * [stænd] v. : supporter 42
be * **standing up** [biːˈstændiŋʌp] : être * debout 47
star [stɑːʳ] n. : étoile n. f. 66
starch [stɑːtʃ] n. : amidon n. m. 87
starving [ˈstɑːviŋ] adj. : affamé, ée 77
station [ˈsteiʃ(ə)n] n. : gare n. f. 22
stem [stem] n. : tige n. f. 63
step [step] n. : marche n. f. 10
stereo [ˈsteriou] n. : chaîne stéréo f. 11
stomach [ˈstʌmək] n. : ventre n. m. 46
stool [stuːl] n. : tabouret n. m. 14
storm [stɔːm] n. : orage n. m. 67
straight [streit] adj. : raide 37
strange [strein(d)ʒ] adj. : bizarre 42
strawberry [ˈstrɔːb(ə)ri] n. : fraise n. f. 53
street [striːt] n. : rue n. f. 18, 93
stripe [straip] n. : rayure n. f. 29
strong [strɔŋ] adj. : fort, forte 36, 85
stuff [stʌf] v. : farcir 20
stuffing [ˈstʌfiŋ] n. : farce n. f. 20
sturdy [ˈstəːdi] adj. : solide 64
subtraction [səbˈtrækʃ(ə)n] n. : soustraction n. f. 28
sugar [ˈʃugəʳ] n. : sucre n. m. 21, 55
sugar dispenser [ˈʃugəʳdisˈpensəʳ] : sucrier n. m. 55
suit [s(j)uːt] n. : costume n. m. 39, 41
suitcase [ˈs(j)uːtkeis] n. : valise n. f. 22
summer [ˈsʌməʳ] n. : été n. m. 73
sun [sʌn] n. : soleil n. m. 62, 73
sunglasses [ˈsʌnglɑːsiz] n. pl. : lunettes de soleil f. pl. 73
sun-tanned [ˈsʌntænd] adj. : bronzé, ée 73
supermarket [s(j)uːˈpəmɑːkit] n. : supermarché n. m. 19
sure [ˈʃuəʳ] adj. : sûr, sûre 20
surprise [səˈpraiz] n. : surprise n. f. 14, 38
sweet [swiːt] n. : bonbon n. m. 28, 92
sweet pepper [swiːtˈpepəʳ] : poivron n. m. 52
swim * [swim] v. : nager * 65, 68
swing [swiŋ] n. : balançoire n. f. 81
synthesizer [ˈsinθəsaizəʳ] n. : synthétiseur n. m. 79
syringe [ˈsirindʒ, siˈrindʒ] n. : seringue n. f. 49

T

table [ˈteibl] n. : table n. f. 54
tablecloth [ˈteiblklɔθ] n. : nappe n. f. 56
table tennis [ˈteiblˈtenis] : tennis de table m. 86
take * **a photo** [teikəˈfoutou] : prendre * une photo 46, 91
take * **off** [ˈteikɔf] v. : décoller 72

talk * [tɔːk] v. : parler 76
tall [tɔːl] adj. : grand, grande 36
tamer [ˈteiməʳ] n. : dompteur, euse 93
tap [tæp] n. : robinet n. m. 15
tart [tɑːt] n. : tarte n. f. 56
taxi [ˈtæksi] n. : taxi n. m. 23
tea [tiː] n. : thé n. m. 55
teacher [ˈtiːtʃəʳ] n. : professeur n. m. 27
teapot [ˈtiːpɔt] n. : théière n. f. 55
teddy bear [ˈtedibɛəʳ] : ours en peluche m. 75
tee-shirt [ˈtiːʃəːt] n. : tee-shirt n. m. 41
telephone [ˈtelifoun] n. : téléphone n. m. 11
make * **a telephone call** [meikəˈtelifounkɔːl] : téléphoner 19
telephone kiosk [ˈtelifounkiɔːsk] : cabine téléphonique f. 19
television [teliˈviʒ(ə)n] n. : télévision n. f. 11
tell * [tel] v. : dire * 52
tennis shoe [ˈtenisʃuː] : tennis n. m. 42
tent [tent] n. : tente n. f. 74
thanks ! [θæŋks] interj. : merci ! 28, 36
thin [θin] adj. : maigre 36
think * [θiŋk] v. : penser 87; croire * 35, 43
be * **thirsty** [biːˈθəːsti] : avoir * soif 54, 81
throw * [θrou] v. : lancer * 87
thunder [ˈθʌndəʳ] n. : tonnerre n. m. 67
ticket collector [ˈtikitkəˈlektəʳ] : contrôleur n. m. 22
tie [tai] n. : cravate n. f. 39
tights [taits] n. pl. : collant n. m. 39
time [taim] n. : heure n. f. 14, 31
tired [ˈtaid] adj. : fatigué, ée 13
today [təˈdei] adv. : aujourd'hui 27, 60, 72
toe [tou] n. : doigt de pied m. 47
tomato [təˈmɑːtou] n. : tomate n. f. 91
tomorrow [təˈmɔrou] adv. : demain 31, 52
tongue [tʌŋ] n. : langue n. f. 48
tonight [təˈnait] adv. : ce soir 39
too [tuː] adv. : trop 40, 42, 62, 85; aussi 75
tooth pl. **teeth** [tuːθ, tiːθ] n. : dent n. f. 15, 48
toothbrush [ˈtuːθbrʌʃ] n. : brosse à dents f. 15
toothpaste [ˈtuːθpeist] n. : dentifrice n. m. 15
total [ˈtout(ə)l] n. : total n. m. 28
towel [ˈtauəl] n. : serviette n. f. 15
town [taun] n. : ville n. f. 17, 29
toy [tɔi] n. : jouet n. m. 75
track [træk] n. : voie n. f. 22; trace n. f. 30; piste n. f. 84; chemin n. m. 61
tracksuit [ˈtræks(j)uːt] n. : jogging n. m. 85
traffic [ˈtræfik] n. : circulation n. f. 19
traffic jam [ˈtræfikdʒæm] : embouteillage n. m. 18, 19
train [trein] n. : train n. m. 22
transport [ˈtrænspɔːt] n. : moyens de transport m. pl. 23
tree [triː] n. : arbre n. m. 8, 60, 90
triangle [ˈtraiæŋgl] n. : triangle n. m. 30
trousers [ˈtrauzəz] n. pl. : pantalon n. m. 40
trumpet [ˈtrʌmpit] n. : trompette n. f. 78
trunk [trʌŋk] n. : tronc n. m. 60
try * [trai] v. : essayer * 65
tube of paint [tjuːbɔvpeint] : tube de peinture m. 77
tulip [ˈtjuːlip] n. : tulipe n. f. 63
turkey [ˈtəːki] n. : dinde n. f. 90
tyre [ˈtaiəʳ] n. : pneu n. m. 19

U

ugly [ˈʌgli] adj. : laid, laide 36
umbrella [ʌmˈbrelə] n. : parapluie n. m. 67
umpire [ˈʌmpaiəʳ] n. : arbitre n. m. 86
uncle [ˈʌŋkl] n. : oncle n. m. 14, 34
understand * [ʌndəˈstænd] v. : comprendre * 30

V

valley [ˈvæli] n. : vallée n. f. 61
vase [vɑːz] n. : vase n. m. 11
vegetables [ˈvedʒ(i)təbls] n. pl. : légumes n. m. pl. 52
very [ˈveri] adv. : très 39, 62
vest [vest] n. : maillot n. m. 85
viewer [ˈvjuəʳ] n. : spectateur, trice 80
violin [vaiəˈlin] n. : violon n. m. 78

W

wait (for) [weit(fɔːʳ)] v. : attendre * 23, 60, 62, 69, 92
wake * **up** [ˈweikʌp] v. : se réveiller 11
walkie-talkie [wɔːkiˈtɔːki] n. : talkie-walkie n. m. 61
wall [wɔːl] n. : mur n. m. 9
wallet [ˈwɔlit] n. : portefeuille n. m. 21
wallpaper [ˈwɔːlpeipəʳ] n. : papier peint m. 69
want [wɔnt] v. : vouloir * 20, 29, 53
wardrobe [ˈwɔːdroub] n. : armoire n. f. 11; penderie n. f. 41
warm oneself [wɔːmwʌnˈself] v. : se réchauffer 74
wash oneself [wɔʃwʌnˈself] v. : se laver 15
watch [wɔtʃ] n. : montre n. f. 31, 48
watch (over) [wɔtʃ(ˈouvəʳ)] v. : surveiller 27
watch television [wɔtʃteliˈviʒ(ə)n] : regarder la télévision 11
water [ˈwɔːtəʳ] n. : eau n. f. 57
water [ˈwɔːtəʳ] v. : arroser 8
watering can [ˈwɔːtəriŋkæn] : arrosoir n. m. 8
water-ski * [ˈwɔːtəʳskiː] v. : faire * du ski nautique 65
wear * [wɛəʳ] v. : porter 39, 46
weather [ˈweðəʳ] n. : temps n. m. 67
weathercock [ˈweðəkɔk] n. : girouette n. f. 68
week [wiːk] n. : semaine n. f. 28
weigh [wei] v. : peser 20
weights [weits] n. pl. : haltères n. m. pl. 85
well [wel] adv. : bien 34, 77, 86
wet [wet] adj. : mouillé, ée 67
white [(h)wait] adj. : blanc, blanche 29
wife pl. **wives** [waif, waivz] n. f. : femme 34
wild [waild] adj. : sauvage 69
wilted [ˈwiltid] adj. : fané, ée 63
win * [win] v. : gagner 86, 84
wind [wind] n. : vent n. m. 65
window [ˈwindou] n. : fenêtre n. f. 9
winner [ˈwinəʳ] n. : vainqueur n. m. 84
winter [ˈwintəʳ] n. : hiver n. m. 87
woman pl. **-men** [ˈwumən, -min] n. f. : femme 35, 72, dame 22
wood [wud] n. : bois n. m. 74
work [wəːk] n. : travail n. m. 52
work hard [wəːkhɑːd] : bien travailler 26
worried [ˈwʌrid] adj. : inquiet, ète 49
write * [rait] v. : écrire * 26

Y

yawn [jɔːn] v. : bâiller 13
yellow [ˈjelou] adj. : jaune 29
yogurt [ˈjɔgət] n. : yaourt n. m. 56
young [jʌŋ] adj. : jeune 35

Z

zebra [ˈziːbrə, ˈzebrə] n. : zèbre n. m. 69, 76
zebra crossing [ˈziːbrəkrɔsiŋ] : passage pour piétons m. 23
zoo [zuː] n. : zoo n. m. 76

Français – Anglais

A

abeille [abɛj] n. f. : bee 63
à bientôt! [abjɛ̃to] interj. : see you soon ! 8, 22
s'abriter [sabʀite] v. : shelter 67
accrocher [akʀɔʃe] v. : hang* up 67
acheter [aʃte] v. : buy* 9, 21, 52
acteur, trice [aktœʀ, tʀis] n. : actor, tress 80
addition [adisjɔ̃] n. f. : addition 28
admirer [admiʀe] v. : admire 90
aéroport [aeʀɔpɔʀ] n. m. : airport 72
affamé, ée [afame] adj. : starving 77
agent de police [aʒɑ̃dpɔlis] m. : policeman 18
agité, ée [aʒite] adj. : hectic 66
aide [ɛd] n. f. : help 26
aider [ede] v. : help 28, 87
aigle [ɛgl(ə)] n. m. : eagle 60, 61
aiguille [egɥij] n. f. : hand 31
aile [ɛl] n. f. : breast 90
aimer [eme] v. : like 57; love 8
allée [ale] n. f. : path 8; aisle 80
aller* [ale] v. : go* 20, 39, 57, 76
aller* se coucher [aleskuʃe] : go* to bed 75
être* allongé, ée [ɛtʀalɔ̃ʒe] : be* lying down 47
ambulance [ɑ̃bylɑ̃s] n. f. : ambulance 49
ami, ie [ami] n. : friend 27
amidon [amidɔ̃] n. m. : starch 87
s'amuser [samyze] v. : have* fun 27, 42, 75
ananas [anana(s)] n. m. : pineapple 53
ancre [ɑ̃kʀ(ə)] n. f. : anchor 65
animal pl. -maux [animal, -mo] n. m. : animal 68, 69, 76
anniversaire [anivɛʀsɛʀ] n. m. : birthday 92
anorak [anɔʀak] n. m. : anorak 87
appareil photo [apaʀɛjfɔto] m. : camera 91
apparences [apaʀɑ̃s] n. f. pl. : appearances n. pl. 27
appartement [apaʀtəmɑ̃] n. m. : flat 93
applaudir [aplodiʀ] v. : clap 78
apprendre* [apʀɑ̃dʀ(ə)] v. : learn* 27, 30
aquarium [akwaʀjɔm] n. m. : fish bowl 11
arbitre [aʀbitʀ(ə)] n. m. : umpire 86
arbre [aʀbʀ(ə)] n. m. : tree 8, 60, 90
argent [aʀʒɑ̃] n. m. : money 21
argent de poche [aʀʒɑ̃dpɔʃ] m. : pocket money 28
armoire [aʀmwaʀ] n. f. : wardrobe 12
arrêt de bus [aʀɛd(ə)bys] m. : bus stop 23
arrivée [aʀive] n. f. : arrival 72; finish 84
arroser [aʀoze] v. : water 8
arrosoir [aʀozwaʀ] n. m. : watering can 8
artiste [aʀtist(ə)] n. : artist 77; performer 93
aspect physique [aspɛfizik] m. : appearance 36
assiette [asjɛt] n. f. : plate 14, 54
être* assis, se [ɛtʀasi, siz] : be* sitting down 11
athlète [atlɛt] n. : athlete 84
attendre* [atɑ̃dʀ(ə)] v. : wait (for) 23, 60, 62, 69, 92
atterrir [ateʀiʀ] v. : land 72
attraper [atʀape] v. : catch* 76
augmentation [ɔgmɑ̃tasjɔ̃] n. f. : raise 28

aujourd'hui [oʒuʀdɥi] adv. : today 27, 60, 72
au revoir! [ɔʀvwaʀ] interj. : bye ! 8, 14
au secours! [ɔskuʀ] interj. : help ! 72
aussi [osi] adv. : too 75
autobus [ɔtɔbys] n. m. : bus 23
automne [otɔn] n. m. : autumn 60
autre [otʀ(ə)] adj. : other 76
autruche [otʀyʃ] n. f. : ostrich 76
avion [avjɔ̃] n. m. : (aero)plane 66, 72
avoir* faim [awaʀfɛ̃] : be* hungry 54
avoir* mal à la tête [avwaʀmalalatɛt] : have* a headache 49
avoir* peur [avwaʀpœʀ] : be* afraid 10, 69
avoir* soif [avwaʀswaf] : be* thirsty 54, 81

B

baby-sitter [ba(e)bisitœʀ] n. f. : babysitter 37
bagages [bagaʒ] n. m. m. pl. : luggage 22
bague [bag] n. f. : ring 43
baignoire [bɛɲwaʀ] n. f. : bath 15
bâiller [baje] v. : yawn 13
prendre* un bain [pʀɑ̃dʀœ̃bɛ̃] : have* a bath 15
bal [bal] n. m. : dance 39
balançoire [balɑ̃swaʀ] n. f. : swing 81
balcon [balkɔ̃] n. m. : balcony 9
balle [bal] n. f. : ball 86
ballon [balɔ̃] n. m. : ball 75, 85
banane [banan] n. f. : banana 53
banc [bɑ̃] n. m. : bench 81
barbe [baʀb(ə)] n. f. : beard 37
baromètre [baʀɔmɛtʀ(ə)] n. m. : barometer 67
barrette [baʀɛt] n. f. : slide 37
bateau [bato] n. m. : boat 65
batterie [batʀi] n. f. : drums n. pl. 79
beau, bel, belle [bo, bɛl] adj. : beautiful 62, 93; lovely 9, 31, 53
beaucoup (de) [boku(də)] a lot (of) 41, 56, 86
bébé [bebe] n. m. : baby 35, 48
avoir* besoin [avwaʀbəzwɛ̃] : need 36
beurre [bœʀ] n. m. : butter 55
bien [bjɛ̃] adv. : well 34, 77, 86
bientôt [bjɛ̃to] adv. : soon 12
bijoux [biʒu] n. m. pl. : jewellery 43
bille [bij] n. f. : marble 27
billet [bijɛ] n. m. : bank note 21
bizarre [bizaʀ] adj. : strange 42
blanc, blanche [blɑ̃, blɑ̃ʃ] adj. : white 29
bleu, bleue [blø] adj. : blue 29
blond, onde [blɔ̃, ɔ̃d] adj. : blond, blonde 37
boire* [bwaʀ] v. : drink* 55
bois [bwa] n. m. : wood 74
bon, bonne [bɔ̃, bɔn] adj. : good 29, 79
bonbon [bɔ̃bɔ̃] n. m. : sweet 28, 92
bonhomme de neige pl. bonshommes [bɔnɔmdənɛʒ, bɔ̃zɔm] m. : snowman 87
bon marché [bɔ̃maʀʃe] adj. inv. : cheap 21
bonnet [bɔnɛ] n. m. : cap 41; ski hat 87
bonnet de nuit [bɔnednɥi] m. : nightcap 13

botte [bɔt] n. f. : boot 42
bottine [bɔtin] n. f. : ankle boot 42
bouche [buʃ] n. f. : mouth 48
boucher [buʃe] n. m. : butcher 20
boucherie [buʃʀi] n. f. : butcher's shop 20
boucle d'oreille [bukl(ə)dɔʀɛj] f. : earring 43
bouée [bue] n. f. : rubber ring 73
bougie [buʒi] n. f. : candle 92
boulanger, ère [bulɑ̃ʒe, ɛʀ] n. : baker 20
boulangerie [bulɑ̃ʒʀi] n. f. : bakery 20
boule [bul] n. f. : ball 90
boule de neige [buldənɛʒ] f. : snowball 87
bouquet [bukɛ] n. m. : bouquet 63
bouteille [butɛj] n. f. : bottle 56
boutique [butik] n. f. : shop 20
bracelet [bʀaslɛ] n. m. : bracelet 43
branche [bʀɑ̃ʃ] n. f. : branch 60
bras [bʀa] n. m. : arm 35, 47
briller [bʀije] v. : shine* 66, 73; glitter 43
broche [bʀɔʃ] n. f. : brooch 43
bronzé, ée [bʀɔ̃ze] adj. : sun-tanned 73
brosse à dents [bʀɔsadɑ̃] f. : toothbrush 15
se brosser les dents [s(ə)bʀɔseledɑ̃] : brush one's teeth 15
brouillard [bʀujaʀ] n. m. : fog 62
brun, une [bʀœ̃, yn] adj. : dark 37
bûche [byʃ] n. f. : log 90
bureau [byʀo] n. m. : desk 26

C

cabine téléphonique [kabintelefɔnik] f. : telephone kiosk 19
se cacher [s(ə)kaʃe] v. : hide* 76
cadeau [kado] n. m. : present 90, 92
café [kafe] n. m. : coffee 55
cafetière [kaftjɛʀ] n. f. : coffee-pot 55
cage [kaʒ] n. f. : cage 93
cahier [kaje] n. m. : exercise book 28
caillou [kaju] n. m. : pebble 64
caisse [kɛs] n. f. : cash register 21
caissier, ière [kesje, jɛʀ] n. : cashier 21
calcul [kalkyl] n. m. : arithmetic 28
camion [kamjɔ̃] n. m. : lorry 23
campagne [kɑ̃paɲ] n. f. : country(side) 62
camping [kɑ̃piŋ] n. m. : camping 74
faire* du camping [fɛʀdykɑ̃piŋ] : camp 74
camping-car [kɑ̃piŋkaʀ] n. m. : camping car 74
canard [kanaʀ] n. m. : duck 68
canne à pêche [kanapɛʃ] f. : fishing rod 64
canoë [kanɔe] n. m. : canoe 64
captiver [kaptive] v. : enthrall 80
caravane [kaʀavan] n. f. : caravan 74
carotte [kaʀɔt] n. f. : carrot 52
carré [kaʀe] n. m. : square 30
carrefour [kaʀfuʀ] n. m. : crossroads n. pl. 18
cartable [kaʀtabl(ə)] n. m. : satchel 28
casquette [kaskɛt] n. f. : cap 40
casser [kase] v. : break* 14

casserole [kasʀɔl] *n. f.* : saucepan **14**
ceinture [sɛ̃tyʀ] *n. f.* : belt **41**
célèbre [selɛbʀ(ə)] *adj.* : famous **38**
cercle [sɛʀkl(ə)] *n. m.* : circle **30**
céréales [seʀeal] *n. f. pl.* : cereal **55**
cerf [sɛʀ] *n. m.* : stag **76**
cerf-volant [sɛʀvɔlɑ̃] *n. m.* : kite **66, 91**
cerise [s(ə)ʀiz] *n. f.* : cherry **53**
chaîne stéréo [ʃɛnsteʀeo] *f.* : stereo **11**
chaise [ʃɛz] *n. f.* : chair **54**
chalet [ʃalɛ] *n. m.* : chalet **61**
chambre [ʃɑ̃bʀ(ə)] *n. f.* : bedroom **12**
chameau [ʃamo] *n. m.* : camel **76**
chamois [ʃamwa] *n. m.* : chamois **61**
champignon [ʃɑ̃piɲɔ̃] *n. m.* : mushroom **60**
champion, onne [ʃɑ̃pjɔ̃, ɔn] *n.* : champion **84**
chance [ʃɑ̃s] *n. f.* : luck **31**
changer [ʃɑ̃ʒe] *v.* : change **79**
se changer [s(ə)ʃɑ̃ʒe] *v.* : get* changed **92**
chanter faux [ʃɑ̃tefo] : sing* out of tune **79**
chanteur, euse [ʃɑ̃tœʀ, øz] *n.* : singer **79**
chapeau [ʃapo] *n. m.* : hat **40, 80**
chasser [ʃase] *v.* : hunt **38**
chat, chatte [ʃa, ʃat] *n.* : cat **68**
châtaigne [ʃatɛɲ] *n. f.* : chestnut **60**
château de sable [ʃatodsabl(ə)] *m.* : sand castle **73**
chaussette [ʃosɛt] *n. f.* : sock **41**
chausson [ʃosɔ̃] *n. m.* : slipper **41**
chaussure [ʃosyʀ] *n. f.* : shoe **42, 67**
chef [ʃɛf] *n. m.* : chief **38**
chef-d'œuvre [ʃɛdœvʀ(ə)] *n. m.* : masterpiece **77**
chef d'orchestre [ʃɛfdɔʀkɛstʀ(ə)] *m.* : conductor **78**
chemin [ʃ(ə)mɛ̃] *n. m.* : track **61**
cheminée [ʃ(ə)mine] *n. f.* : chimney **9**; fireplace **90**
chemise [ʃ(ə)miz] *n. f.* : shirt **41**
chemisier [ʃ(ə)mizje] *n. m.* : blouse **39**
cher, ère [ʃɛʀ] *adj.* : expensive **21, 77**
chercher [ʃɛʀʃe] *v.* : look for **93**
aller* **chercher** [aleʃɛʀʃe] : pick up **37**
cheval *pl.* **-vaux** [ʃ(ə)val, -vo] *n. m.* : horse **68**
chevelure [ʃəvlyʀ] *n. f.* : hair **37**
cheveux [ʃ(ə)vø] *n. m. pl.* : hair **35, 48**
chèvre [ʃɛvʀ(ə)] *n. f.* : goat **62**
chevreuil [ʃəvʀœj] *n. m.* : deer *n. inv.* **61**
chien, chienne [ʃjɛ̃, ʃjɛn] *n.* : dog **68**
chiffre [ʃifʀ(ə)] *n. m.* : figure **28**
chocolat [ʃɔkɔla] *n. m.* : chocolate **92**
choisir [ʃwaziʀ] *v.* : choose* **69**
être* au chômage [ɛtʀoʃomaʒ] : be* out of work **36**
chou [ʃu] *n. m.* : cabbage **52**
chouette [ʃwɛt] *n. f.* : owl **66**
ciel *pl.* **cieux, ciels** [sjɛl, sjø] *n. m.* : sky **66**
cil [sil] *n. m.* : eyelash **48**
cinéma [sinema] *n. m.* : cinema **80**
circulation [siʀkylasjɔ̃] *n. f.* : traffic **19**
cirque [siʀk(ə)] *n. m.* : circus **93**
citrouille [sitʀuj] *n. f.* : pumpkin **52**
clair, claire [klɛʀ] *adj.* : light **29**
clairière [klɛʀjɛʀ] *n. f.* : clearing **60**
classe [klas] *n. f.* : class **26**
clé [kle] *n. f.* : key **9**
clôture [klotyʀ] *n. f.* : fence **62**
clown [klun] *n. m.* : clown **93**
cochon [kɔʃɔ̃] *n. m.* : pig **62, 68**
cœur [kœʀ] *n. m.* : heart **49**
collant [kɔlɑ̃] *n. m.* : tights *n. pl.* **39**
collier [kɔlje] *n. m.* : necklace **43**
comprendre* [kɔ̃pʀɑ̃dʀ(ə)] *v.* : understand* **30**
comptoir [kɔ̃twaʀ] *n. m.* : counter **21**
se concentrer [s(ə)kɔ̃sɑ̃tʀe] *v.* : concentrate **84**
concert [kɔ̃sɛʀ] *n. m.* : concert **78, 79**
concours [kɔ̃kuʀ] *n. m.* : competition **79**
conducteur, trice [kɔ̃dyktœʀ, tʀis] *n.* : driver **23**
conduire* [kɔ̃dɥiʀ] *v.* : drive* **23, 62**
confiture [kɔ̃fityʀ] *n. f.* : jam **14**
confortable [kɔ̃fɔʀtabl(ə)] *adj.* : comfortable **11**
construire* [kɔ̃stʀɥiʀ] *v.* : build* **64**

content, ente [kɔ̃tɑ̃, ɑ̃t] *adj.* : happy **30, 31, 38**; glad **74**
contrôleur [kɔ̃tʀolœʀ] *n. m.* : ticket collector **22**
coq [kɔk] *n. m.* : cock **68**
coquillage [kɔkijaʒ] *n. m.* : shell **73**
corps [kɔʀ] *n. m.* : body **46, 47**
costume [kɔstym] *n. m.* : suit **39, 41**
cou [ku] *n. m.* : neck **46, 69**
coucou [kuku] *n. m.* : cuckoo clock **31**
coude [kud] *n. m.* : elbow **47**
couler [kule] *v.* : flow **64**; sink* **64**
couleur [kulœʀ] *n. f.* : colour **29**
couloir [kulwaʀ] *n. m.* : hall **10**
couper [kupe] *v.* : cut* **35**
cour [kuʀ] *n. f.* : playground **27**; back **93**
courir* [kuʀiʀ] *v.* : run* **27, 69, 84**
course [kuʀs(ə)] *n. f.* : race **84**
faire* **les courses** [fɛʀlekuʀs] : shop **20**
court, courte [kuʀ, kuʀt(ə)] *adj.* : short **37, 40**
cousin, ine [kuzɛ̃, in] *n.* : cousin **34, 36**
couteau [kuto] *n. m.* : knife **54**
couverture [kuvɛʀtyʀ] *n. f.* : blanket **12**
cravate [kʀavat] *n. f.* : tie **39**
crayon [kʀɛjɔ̃] *n. m.* : pencil **77**
crème [kʀɛm] *n. f.* : cream **14**
crier [kʀije] *v.* : scream **80**
crocodile [kʀɔkɔdil] *n. m.* : crocodile **69**
croire* [kʀwaʀ] *v.* : believe **9**; think* **35, 43**
cube [kyb] *n. m.* : building block **75**
cuillère [kɥijɛʀ] *n. f.* : spoon **54**
cuisine [kɥizin] *n. f.* : kitchen **14, 57**
faire* **la cuisine** [fɛʀlakɥizin] : cook **14**
cuisinière [kɥizinjɛʀ] *n. f.* : cooker **14**
cuisse [kɥis] *n. f.* : leg **56, 90**

D

d'abord [dabɔʀ] *adv.* : first of all **92**
d'accord ! [dakɔʀ] *interj.* : okay ! **92**
dame [dam] *n. f.* : lady **23, 46**; woman **22**
damier [damje] *n. m.* : draught-board **75**
dangereux, euse [dɑ̃ʒʀø, øz] *adj.* : dangerous **62, 85**
danser [dɑ̃se] *v.* : dance **79**
être* **debout** [ɛtʀədəbu] : be* standing up **47**
décider [deside] *v.* : decide **68**
décoller [dekɔle] *v.* : take* off **72**
se défendre* [s(ə)defɑ̃dʀ(ə)] *v.* : fight* back **80**
défiler [defile] *v.* : parade **93**
déjeuner [deʒœne] *n. m.* : lunch **56**
délicieux, ieuse [delisjø, jøz] *adj.* : delicious **56, 60**
demain [d(ə)mɛ̃] *adv.* : tomorrow **31, 52**
demander son chemin [dəmɑ̃desɔ̃ʃmɛ̃] : ask for directions **18**
demi-heure [d(ə)miʒœʀ] *n. f.* : half an hour **35**
dent [dɑ̃] *n. f.* : tooth **15, 48**
dentifrice [dɑ̃tifʀis] *n. m.* : toothpaste **15**
départ [depaʀ] *n. m.* : departure **72**
se dépêcher [s(ə)depeʃe] *v.* : hurry **93**
être* **désolé, ée** [ɛtʀədezɔle] : be* sorry **38**
désordre [dezɔʀdʀ(ə)] *n. m.* : mess **34**
deuxième [døzjɛm] *adj.* : second **93**
devoirs [dəvwaʀ] *n. m. pl.* : homework **28**
dinde [dɛ̃d] *n. f.* : turkey **90**
dîner [dine] *n. m.* : dinner **57**
diplôme [diplom] *n. m.* : diploma **47**
dire* [diʀ] *v.* : say* **42**; tell* **52**
directeur, trice [diʀɛktœʀ, tʀis] *n.* : headmaster *n. m.* **26**
direction [diʀɛksjɔ̃] *n. f.* : direction **23**
disque [disk(ə)] *n. m.* : record **37**
division [divizjɔ̃] *n. f.* : division **28**
doigt [dwa] *n. m.* : finger **47**
doigt de pied [dwadpje] *m.* : toe **47**
dollar [dɔlaʀ] *n. m.* : dollar **28, 47**
domino [dɔmino] *n. m.* : domino **75**
dompteur, euse [dɔ̃tœʀ, øz] *n.* : tamer **93**
donner [dɔne] *v.* : give* **92**

dormir* [dɔʀmiʀ] *v.* : sleep* **13, 74**
dos [do] *n. m.* : back **46**
douane [dwan] *n. f.* : customs *n. pl.* **72**
douanier, ière [dwanje, jɛʀ] *n.* : customs officer **72**
drap [dʀa] *n. m.* : sheet **12**
dynamite [dinamit] *n. f.* : dynamite **19**

E

eau [o] *n. f.* : water **57**
éclair [eklɛʀ] *n. m.* : lightning **67**
école [ekɔl] *n. f.* : school **25, 26, 27, 30**
écouter [ekute] *v.* : listen **30**
écran [ekʀɑ̃] *n. m.* : screen **80**
écrire* [ekʀiʀ] *v.* : write* **26**
écureuil [ekyʀœj] *n. m.* : squirrel **60**
écuyer, ère [ekɥije, ɛʀ] *n.* : rider **93**
édredon [edʀədɔ̃] *n. m.* : eiderdown **13**
électrique [elɛktʀik] *adj.* : electric **79**
élégant, ante [elegɑ̃, ɑ̃t] *adj.* : smart **39**
éléphant [elefɑ̃] *n. m.* : elephant **69**
élève [elɛv] *n.* : pupil **26**
embouteillage [ɑ̃butɛjaʒ] *n. m.* : traffic jam **18, 19**
émeraude [ɛmʀod] *n. f.* : emerald **43**
en colère [ɑ̃kɔlɛʀ] : angry **57**
encrier [ɑ̃kʀije] *n. m.* : inkwell **30**
s'endormir* [sɑ̃dɔʀmiʀ] *v.* : fall* asleep **62**
énerver [enɛʀve] *v.* : drive* mad **11**
enfant [ɑ̃fɑ̃] *n.* : child **27, 35**
enfin [ɑ̃fɛ̃] *adv.* : at last **30, 62**
engrais [ɑ̃gʀɛ] *n. m.* : fertilizer **52**
épaule [epol] *n. f.* : shoulder **46**
épicerie [episʀi] *n. f.* : grocer's shop **20**
éponge [epɔ̃ʒ] *n. f.* : sponge **14**
équipement [ekipmɑ̃] *n. m.* : sportsgear **85**
faire* **une erreur** [fɛʀynɛʀœʀ] : make* a mistake **28**
escalier [ɛskalje] *n. m.* : stairs *n. pl.* **10**
escarpin [ɛskaʀpɛ̃] *n. m.* : court shoe **42**
espérer [ɛspeʀe] *v.* : hope **29**
essayer* [eseje] *v.* : try* **65**
étage [etaʒ] *n. m.* : floor **93**
étagère [etaʒɛʀ] *n. f.* : shelf **14**
été [ete] *n. m.* : summer **73**
étoile [etwal] *n. f.* : star **66**
étonnant, ante [etɔnɑ̃, ɑ̃t] *adj.* : amazing **69**
être* [ɛtʀ(ə)] *v.* : be* **21, 35, 85**
être* au chômage [ɛtʀoʃomaʒ] : be* out of work **36**
être* en retard [ɛtʀɑ̃ʀtaʀ] : be* late **22**
étroit, oite [etʀwa, wat] *adj.* : narrow **10**
évier [evje] *n. m.* : sink **14**
excellent, ente [ɛksɛlɑ̃, ɑ̃t] *adj.* : excellent **26**
explication [ɛksplikasjɔ̃] *n. f.* : explanation **65**
expliquer [ɛksplike] *v.* : explain **63**

F

facteur [faktœʀ] *n. m.* : postman **18**
avoir* **faim** [awaʀfɛ̃] : be* hungry **54**
faire* **la cuisine** [fɛʀlakɥizin] : cook **14**
faire* **la vaisselle** [fɛʀlavesɛl] : do* the dishes **14**
faire* **le ménage** [fɛʀləmenaʒ] : clean up **34**
faire* **les courses** [fɛʀlekuʀs] : shop **20**
famille [famij] *n. f.* : family **34**
fané, ée [fane] *adj.* : wilted **63**
farce [faʀs] *n. f.* : stuffing **20**
farcir [faʀsiʀ] *v.* : stuff **20**
fatigué, ée [fatige] *adj.* : tired **13**
fauteuil [fotœj] *n. m.* : armchair **11**; seat **80**
femme [fam] *n. f.* : woman **35, 72**; wife **34**
fenêtre [fənɛtʀ(ə)] *n. f.* : window **9**
ferme [fɛʀm(ə)] *n. f.* : farm **68**
fermé, ée [fɛʀme] *adj.* : closed **9, 20, 30**

fermer [fɛʀme] v. : close* 84
fermier, ière [fɛʀmje, jɛʀ] n. : farmer 68
fesses [fɛs] n. f. pl. : bottom 46
fête [fɛt] n. f. : holiday 89
feu [fø] n. m. : fire 74
feu (de signalisation) [fø(dəsiɲalizasjɔ̃)] n. m. : (traffic) light 18
feuille [fœj] n. f. : leaf 60
fidèle [fidɛl] adj. : faithful 68
filet [filɛ] n. m. : net 86
filet à papillons [filɛapapijɔ̃] m. : butterfly net 85
fille [fij] n. f. : girl 23, 35, 37, 39; daughter 34
film [film] n. m. : film 80
fils [fis] n. m. : son 34
fin [fɛ̃] n. f. : end 93
flaque [flak] n. f. : puddle 67
fleur [flœʀ] n. f. : flower 8, 63
fleuriste [flœʀist(ə)] n. : florist 63
flûte [flyt] n. f. : flute 78
foncé, ée [fɔ̃se] adj. : dark 29
fontaine [fɔ̃tɛn] n. f. : fountain 81
forêt [fɔʀɛ] n. f. : forest 60
forme [fɔʀm(ə)] n. f. : shape 30
fort, forte [fɔʀ, fɔʀt(ə)] adj. : strong 36, 85
four [fuʀ] n. m. : oven 14
fourchette [fuʀʃɛt] n. f. : fork 54
fourmi [fuʀmi] n. f. : ant 91
fraise [fʀɛz] n. f. : strawberry 53
frange [fʀɑ̃ʒ] n. f. : fringe 37
froid, froide [fʀwa, fʀwad] adj. : cold 74, 87, 91
fromage [fʀɔmaʒ] n. m. : cheese 56
froncer les sourcils [fʀɔ̃selesuʀsi] : frown 46
front [fʀɔ̃] n. m. : forehead 48
fruits [fʀɥi] n. m. pl. : fruit 53
fumée [fyme] n. f. : smoke 74

G

gagner [gaɲe] v. : win* 84, 86
gai, gaie [ge] adj. : happy 15
garage [gaʀaʒ] n. m. : garage 9
garçon [gaʀsɔ̃] n. m. : boy 35
garder [gaʀde] v. : guard 68
gare [gaʀ] n. f. : station 22
gâteau [gato] n. m. : cake 14, 92
gazon [gazɔ̃] n. m. : lawn 8
genou [ʒ(ə)nu] n. m. : knee 47
gens [ʒɑ̃] n. m. pl. : people 33
gentil, ille [ʒɑ̃ti, ij] adj. : nice 38
girafe [ʒiʀaf] n. f. : giraffe 69, 76
girouette [ʒiʀwɛt] n. f. : weathercock 68
glace [glas] n. f. : ice cream 92
glisser [glise] v. : slide* 81
gomme [gɔm] n. f. : rubber 77
goûter d'anniversaire [gutedanivɛʀsɛʀ] m. : birthday party 92
grand, grande [gʀɑ̃, gʀɑ̃d] adj. : tall 36; big 42
grand-mère [gʀɑ̃mɛʀ] n. f. : grandmother 34
grand-père [gʀɑ̃pɛʀ] n. m. : grandfather 34
faire* griller [fɛʀgʀije] : grill 74
gris, grise [gʀi, gʀiz] adj. : grey 29
gros, grosse [gʀo, gʀos] adj. : fat 36
guirlande [giʀlɑ̃d] n. f. : garland 90
guitare [gitaʀ] n. f. : guitar 74, 79
gymnase [ʒimnaz] n. m. : gym 85
gymnastique [ʒimnastik] n. f. : gymnastics n. pl. 85

H

s'habiller [sabije] v. : get* dressed 40
habiter [abite] v. : live 9
haie ['ɛ] n. f. : hedge 8
haltères [altɛʀ] n. m. pl. : weights 85
hangar [ɑ̃gaʀ] n. m. : hangar 72
haricot vert ['aʀikovɛʀ] m. : green bean 52

harpe ['aʀp(ə)] n. f. : harp 79
herbe [ɛʀb(ə)] n. f. : grass 60
héros ['eʀo] n. m. : hero 80
heure [œʀ] n. f. : hour 31, 35; time 14, 31
heureux, euse [œʀø, øz] adj. : happy 35
hippopotame [ipɔpɔtam] n. m. : hippopotamus 69
hiver [ivɛʀ] n. m. : winter 87
homme [ɔm] n. m. : man 35
hôpital pl. **-taux** [ɔpital, -to] n. m. : hospital 49
horloge [ɔʀlɔʒ] n. f. : clock 22
hôtesse de l'air [otesdəlɛʀ] f. : air hostess 72
humain, aine [ymɛ̃, ɛn] adj. : human 47

I

idée [ide] n. f. : idea 66, 68
immeuble [im(m)œbl(ə)] n. m. : building 18
imperméable [ɛ̃pɛʀmeabl(ə)] n. m. : raincoat 40, 67
impossible [ɛ̃pɔsibl(ə)] adj. : impossible 9
Indien, ienne [ɛ̃djɛ̃, jɛn] n. : Indian 64
indien, ienne [ɛ̃djɛ̃, jɛn] adj. : Indian 38
indiquer [ɛ̃dike] v. : show* 31
infirmière [ɛ̃fiʀmjɛʀ] n. f. : nurse 49
influence [ɛ̃flyɑ̃s] n. f. : influence 26
inquiet, ète [ɛ̃kjɛ, ɛt] adj. : worried 49
instrument [ɛ̃stʀymɑ̃] n. m. : instrument 79
interdit, ite [ɛ̃tɛʀdi, it] adj. : forbidden 18
invitation [ɛ̃vitasjɔ̃] n. f. : invitation 92
invité, ée [ɛ̃vite] n. : guest 40, 92
inviter [ɛ̃vite] v. : invite 38

J

jambe [ʒɑ̃b] n. f. : leg 47
jardin [ʒaʀdɛ̃] n. m. : garden 8, 69
jaune [ʒon] adj. : yellow 29
jean [dʒin] n. m. : jeans n. pl. 40
jetée [ʒ(ə)te] n. f. : jetty 65
jeu [ʒø] n. m. : game 75
jeu d'échecs [ʒødeʃek] m. : chess 75
jeu de dames [ʒød(ə)dam] m. : checkers n. pl. 75
jeune [ʒœn] adj. : young 35
jogging [dʒɔgiŋ] n. m. : tracksuit 85
joli, ie [ʒɔli] adj. : lovely 39
jongleur, euse [ʒɔ̃glœʀ, øz] n. : juggler 93
joue [ʒu] n. f. : cheek 48
jouer [ʒwe] v. : play 27, 75, 78, 85, 86
jouet [ʒwɛ] n. m. : toy 75
joueur, euse [ʒwœʀ, øz] n. : player 86
jour [ʒuʀ] n. m. : day 68
jupe [ʒyp] n. f. : skirt 40
jupon [ʒypɔ̃] n. m. : petticoat 39
jus [ʒy] n. m. : juice 92

K

kangourou [kɑ̃guʀu] n. m. : kangaroo 76
kilo [kilo] n. m. : kilo 20
klaxonner [klaksɔne] v. : hoot 19

L

lacet [lasɛ] n. m. : shoelace 42
laid, laide [lɛ, lɛd] adj. : ugly 36
laisser [lese] v. : let* 13; leave* 54
lait [lɛ] n. m. : milk 21, 55
lampe [lɑ̃p] n. f. : lamp 12
lancer* [lɑ̃se] v. : throw* 87
langue [lɑ̃g] n. f. : tongue 48
lapin [lapɛ̃] n. m. : rabbit 62

large [laʀʒ(ə)] adj. : big 40
lavabo [lavabo] n. m. : hand basin 15
se laver [s(ə)lave] v. : wash oneself 15
légumes [legym] n. m. pl. : vegetables n. pl. 52
se lever [s(ə)l(ə)ve] v. : get* up 12
limonade [limɔnad] n. f. : lemonade 92
lion, lionne [ljɔ̃, ljɔn] n. : lion 69
lire* [liʀ] v. : read* 11
lit [li] n. m. : bed 13
livre [livʀ(ə)] n. m. : book 11, 27, 30
locomotive [lɔkɔmɔtiv] n. f. : engine 22
loisirs [lwaziʀ] n. m. pl. : leisure 71
long, longue [lɔ̃, lɔ̃g] adj. : long 37, 69
louche [luʃ] n. f. : ladle 57
louer [lwe] v. : rent 93
lourd, lourde [luʀ, luʀd(ə)] adj. : heavy 22
luge [lyʒ] n. f. : sleigh 87
lumière [lymjɛʀ] n. f. : light 10
lune [lyn] n. f. : moon 66
lunettes [lynɛt] n. f. pl. : glasses n. pl. 46
lunettes de soleil [lynɛtdəsɔlɛj] f. pl. : sunglasses n. pl. 73

M

magasin [magazɛ̃] n. m. : shop 20
magique [maʒik] adj. : magic 52
maigre [mɛgʀ(ə)] adj. : thin 36
maillot [majo] n. m. : vest 85
maillot de bain [majodbɛ̃] m. : bathing suit 73
main [mɛ̃] n. f. : hand 47
maintenant [mɛ̃tnɑ̃] adv. : now 66, 72, 92
maison [mezɔ̃] n. f. : house 7, 9, 10, 67, 68
maître, maîtresse [mɛtʀ(ə), mɛtʀɛs] n. : schoolteacher 26
malade [malad] adj. : sick 49
avoir* mal à la tête [avwaʀmalalatɛt] : have* a headache 49
maman [mamɑ̃] n. f. : mother 35
manger [mɑ̃ʒe] v. : eat* 54, 56, 60, 77, 92
manteau [mɑ̃to] n. m. : coat 40
mappemonde [mapmɔ̃d] n. f. : globe 30
marche [maʀʃ(ə)] n. f. : step 10
mare [maʀ] n. f. : pond 68
marguerite [maʀgəʀit] n. f. : daisy 63
mari [maʀi] n. m. : husband 34
marron [maʀɔ̃] adj. inv. : brown 29
masseur, euse [masœʀ, øz] n. : masseur, euse 47
match [matʃ] n. m. : game 86
matelas [matla] n. m. : mattress 12
matin [matɛ̃] n. m. : morning 52, 62
médaille [medaj] n. f. : medal 84
médecin [medsɛ̃] n. m. : doctor 49
médicament [medikamɑ̃] n. m. : medicine 14, 49
meilleur, eure [mɛjœʀ] adj. : best 29
faire* le ménage [fɛʀləmenaʒ] : clean up 34
menton [mɑ̃tɔ̃] n. m. : chin 48
mer [mɛʀ] n. f. : sea 65
merci ! [mɛʀsi] interj. : thanks ! 28, 36
mère [mɛʀ] n. f. : mother 34
micro [mikʀo] n. m. : microphone 79
miel [mjɛl] n. m. : honey 55
mieux [mjø] adv. : better 72
mignon, onne [miɲɔ̃, ɔn] adj. : cute 48
minute [minyt] n. f. : minute 31
miroir [miʀwaʀ] n. m. : mirror 15
mite [mit] n. f. : moth 41
mobile [mɔbil] n. m. : mobile 75
mois [mwa] n. m. : month 93
monnaie [mɔnɛ] n. f. : change 21
monsieur pl. **messieurs** [məsjø, mesjø] n. m. : gentleman 23
montagne [mɔ̃taɲ] n. f. : mountain 61
monter à cheval [mɔ̃teaʃval] : ride* a horse 68
montre [mɔ̃tʀ(ə)] n. f. : watch 31, 48
montrer [mɔ̃tʀe] v. : show* 72
montrer le chemin [mɔ̃tʀelʃəmɛ̃] : show* the way 18
moto [mɔto] n. f. : motorcycle 23

mouette [mwεt] *n. f.* : seagull **66**
mouillé, ée [muje] *adj.* : wet **67**
mourir * [muRiR] *v.* : die * **49**
moustache [mustaʃ] *n. f.* : moustache **37**
moyens de transport [mwajε̃dtRα̃spɔR] *m. pl* : transport **23**
multiplication [myltiplikasjɔ̃] *n. f.* : multiplication **28**
mur [myR] *n. m.* : wall **9**
mûr, mûre [myR] *adj.* : ripe **53**
musclé, ée [myskle] *adj.* : muscled **47**
musée [myze] *n. m.* : museum **61**
musicien, ienne [myzisjε̃, jεn] *n.* : musician **79**
musique [myzik] *n. f.* : music **78, 79**

N

nager * [naʒe] *v.* : swim * **65, 68**
nappe [nap] *n. f.* : tablecloth **56**
nature [natyR] *n. f.* : nature **59**
navire [naviR] *n. m.* : ship **65**
neige [nεʒ] *n. f.* : snow **87**
neiger [neʒe] *v.* : snow **87**
neuf, neuve [nœf, nœv] *adj.* : new **39**
neveu [n(ə)vø] *n. m.* : nephew **55, 92**
nez [ne] *n. m.* : nose **48**
niche [niʃ] *n. f.* : kennel **68**
nid [ni] *n. m.* : nest **60**
nièce [njεs] *n. f.* : niece **37**
Noël [nɔεl] *n. m.* : Christmas **90**
nœud papillon [nøpapijɔ̃] *m.* : bow tie **39**
noir, noire [nwaR] *adj.* : black **29**
nourriture [nuRityR] *n. f.* : food **51**
nouveau, vel, velle [nuvo, vεl] *adj.* : new **69**
nuage [nɥaʒ] *n. m.* : cloud **66**
nuit [nɥi] *n. f.* : night **66**

O

œil *pl.* **yeux** [œj, jø] *n. m.* : eye **48, 84**
œillet [œjε] *n. m.* : carnation **63**
œuf [œf] *n. m.* : egg **55, 60, 61**
oignon [ɔɲɔ̃] *n. m.* : onion **52**
oiseau [wazo] *n. m.* : bird **61, 62**
omelette [ɔmlεt] *n. f.* : omelet **60**
oncle [ɔ̃kl(ə)] *n. m.* : uncle **14, 34**
or [ɔR] *n. m.* : gold **43**
orage [ɔRaʒ] *n. m.* : storm **67**
orange [ɔRα̃ʒ] *n. f.* : orange **53, 92**
orange [ɔRα̃ʒ] *adj. inv.* : orange **29**
orchestre [ɔRkεstR(ə)] *n. m.* : orchestra **78**
oreille [ɔRεj] *n. f.* : ear **48**
oreiller [ɔReje] *n. m.* : pillow **13**
os [ɔs] *n. m.* : bone **54**
oublier [ublije] *v.* : forget * **22, 41, 84**
ours [uRs] *n. m.* : bear **30, 38**
ours en peluche [uRsα̃plyʃ] *m.* : teddy bear **75**
ouvert, erte [uvεR, εRt(ə)] *adj.* : open **30**
ouvrir * [uvRiR] *v.* : open **84**

P

page [paʒ] *n. f.* : page **26**
pain [pε̃] *n. m.* : bread **55**
palette [palεt] *n. f.* : palette **77**
palmier [palmje] *n. m.* : palm tree **73**
panier [panje] *n. m.* : basket **91**
panneau (de signalisation) [pano(dəsiɲalizasjɔ̃)] *n. m.* : road sign **23**
pantalon [pα̃talɔ̃] *n. m.* : trousers *n. pl.* **40**
papier [papje] *n. m.* : paper **77**
papier peint [papjepε̃] *m.* : wallpaper **69**
papillon [papijɔ̃] *n. m.* : butterfly **85**
paquet [pakε] *n. m.* : parcel **19**

parapluie [paRaplɥi] *n. m.* : umbrella **67**
parasol [paRasɔl] *n. m.* : beach umbrella **73**
parc [paRk] *n. m.* : park **81**
parier [paRje] *v.* : bet * **52**
parking [paRkiŋ] *n. m.* : car park **18**
parler [paRle] *v.* : talk * **76**
par terre [paRtεR] : on the ground **27**
partie [paRti] *n. f.* : part **47**; game **75**
passage pour piétons [pasaʒpuRpjetɔ̃] *m.* : zebra crossing **23**
passager, ère [pasaʒe, εR] *n.* : passenger **23**
passeport [paspɔR] *n. m.* : passport **72**
se passer [s(ə)pase] *v.* : happen **76**
patin à roulettes [patε̃aRulεt] *m.* : roller skate **85**
pauvre [povR(ə)] *adj.* : poor **38, 77**
payer * [peje] *v.* : pay * **21**
paysage [peizaʒ] *n. m.* : landscape **62**
pêche [pεʃ] *n. f.* : peach **53**
pêcher [peʃe] *v.* : catch * **64**
pêcheur, euse [peʃœR, øz] *n.* : fisherman *n. m.* **64**
peigne [pεɲ] *n. m.* : comb **15**
peignoir [pεɲwaR] *n. m.* : bathrobe **15**
peindre * [pε̃dR(ə)] *v.* : paint **77**
peinture [pε̃tyR] *n. f.* : painting **77**
pelle [pεl] *n. f.* : shovel **8**
pelouse [pəluz] *n. f.* : lawn **8**
penderie [pα̃dRi] *n. f.* : wardrobe **41**
penser [pα̃se] *v.* : think * **87**
père [pεR] *n. m.* : father **34**
perle [pεRl(ə)] *n. f.* : bead **43**
personnalité [pεRsɔnalite] *n. f.* : personality **38**
peser [pəze] *v.* : weigh **20**
pétale [petal] *n. m.* : petal **63**
petit, ite [p(ə)ti, it] *adj.* : small **36**
petit déjeuner [p(ə)tideʒœne] *m.* : breakfast **55**
petit pois [ptipwa] *m.* : pea **52**
avoir * **peur** [avwaRpœR] : be * afraid **10, 69**
peut-être [pøtεtR(ə)] *adv.* : perhaps **49**
phare [faR] *n. m.* : headlight **19**; lighthouse **65**
photo [fɔtɔ] *n. f.* : photo **46, 91**
prendre * une **photo** [pRα̃dRynfɔtɔ] : take * a photo **46, 91**
piano [pjano] *n. m.* : piano **78**
pièce [pjεs] *n. f.* : coin **21**
pied [pje] *n. m.* : foot **42, 47**
piéton, onne [pjetɔ̃, ɔn] *n.* : pedestrian **19**
pinceau [pε̃so] *n. m.* : paint brush **77**
pingouin [pε̃gwε̃] *n. m.* : penguin **76**
pique-nique [piknik] *n. m.* : picnic **91**
piqûre [pikyR] *n. f.* : injection **49**
piste [pist(ə)] *n. f.* : ring **93**; slope **87**; track **84**; runway **72**
placard [plakaR] *n. m.* : cupboard **14**
plage [plaʒ] *n. f.* : beach **73**
planche à roulettes [plα̃ʃaRulεt] *f.* : skate board **85**
plancher [plα̃ʃe] *n. m.* : floor **10**
plante [plα̃t] *n. f.* : plant **52, 63**
planter [plα̃te] *v.* : plant **8**
plante verte [plα̃tvεRt] *f.* : green plant **63**
plat [pla] *n. m.* : dish **54, 56**
plein, pleine [plε̃, plεn] *adj.* : full **30**
pleuvoir * [pløvwaR] *v.* : rain **52**
pluie [plɥi] *n. f.* : rain **52, 67**
pneu [pnø] *n. m.* : tyre **19**
podium [pɔdjɔm] *n. m.* : podium **84**
poêle [pwal] *n. f.* : frying pan **57**
poire [pwaR] *n. f.* : pear **53**
poireau [pwaRo] *n. m.* : leek **52**
poisson [pwasɔ̃] *n. m.* : fish **57, 64, 76**
poisson rouge [pwasɔ̃Ruʒ] *m.* : goldfish **11**
poivre [pwavR(ə)] *n. m.* : pepper **54**
poivron [pwavRɔ̃] *n. m.* : sweet pepper **52**
poli, ie [pɔli] *adj.* : polite **38**
police [pɔlis] *n. f.* : police **65**
pomme [pɔm] *n. f.* : apple **53**
pomme de terre [pɔmdətεR] *f.* : potato **52**
pont [pɔ̃] *n. m.* : bridge **64**
port [pɔR] *n. m.* : harbour **65**
porte [pɔRt] *n. f.* : door **9**
portefeuille [pɔRtəfœj] *n. m.* : wallet **21**

portemanteau [pɔRtmα̃to] *n. m.* : peg **41**; coatstand **40**
porte-monnaie [pɔRtmɔnε] *n. m. inv.* : purse **21**
porter [pɔRte] *v.* : hold * **35**; wear * **39, 46**
portrait [pɔRtRε] *n. m.* : portrait **77**
poser [poze] *v.* : put * **27**
poste [pɔst] *n. f.* : post office **18**
poubelle [pubεl] *n. f.* : dustbin **14**
poulailler [pulaje] *n. m.* : henhouse **68**
poule [pul] *n. f.* : hen **68**
poulet [pulε] *n. m.* : chicken **20, 56, 91**
poupée [pupe] *n. f.* : doll **9, 75**
pousser [puse] *v.* : grow * **52**
poussette [pusεt] *n. f.* : puschair **81**
pouvoir * [puvwaR] *v.* : can * **80**
prairie [pReRi] *n. f.* : meadow **62**
pratique [pRatik] *adj.* : practical **55**
premier, ière [pRəmje, jεR] *adj.* : first **40, 93**
prendre * une **photo** [pRα̃dRynfɔto] : take * a photo **46, 91**
presse-fruits [pRεsfRɥi] *n. m. inv.* : orange squeezer **36**
printemps [pRε̃tα̃] *n. m.* spring **8**
prix [pRi] *n. m.* : price **9**
professeur [pRɔfesœR] *n. m.* : teacher **27**
profond, onde [pRɔfɔ̃, ɔ̃d] *adj.* : deep **64**
projecteur [pRɔʒεktœR] *n. m.* : projector **80**
propre [pRɔpR(ə)] *adj.* : clean **15**
provoquer [pRɔvɔke] *v.* : cause **19**
public [pyblik] *n. m.* : audience **78**
pull-over [pylɔvεR] *n. m.* : pullover **41**
puzzle [pœzl(ə)] *n. m.* : puzzle **75**
pyjama [piʒama] *n. m.* : pyjamas *n. pl.* **13**

Q

quai [ke] *n. m.* : platform **22**
question [kεstjɔ̃] *n. f.* : question **27**
queue de cheval [kødʃəval] *f.* : ponytail **37**

R

radis [Radi] *n. m.* : radish **52**
raide [Rεd] *adj.* : straight **37**
raisin [Rεzε̃] *n. m.* : grape **53**
rampe [Rα̃p] *n. f.* : bannisters *n. pl.* **10**
raquette [Rakεt] *n. f.* : bat **86**
râteau [Rato] *n. m.* : rake **8**
rayure [RejyR] *n. f.* : stripe **29**
se réchauffer [s(ə)Reʃofe] *v.* : warm oneself **74**
récréation [RekReasjɔ̃] *n. f.* : playtime **27**
rectangle [Rεktα̃gl(ə)] *n. m.* : rectangle **30**
réfrigérateur [RefRiʒeRatœR] *n. m.* : fridge **57**
regarder la télévision [RəgaRdelatelevizjɔ̃] : watch television **11**
règle [Rεgl(ə)] *n. f.* : ruler **77**
repas [R(ə)pa] *n. m.* : meal **91**
respirer [Rεspire] *v.* : breathe **49**
être * **en retard** [εtRα̃RtaR] : be * late **22**
réveil [Revεj] *n. m.* : alarm clock **12, 31**
réveille-matin [Revεjmatε̃] *n. m. inv.* : alarm-clock **12**
se réveiller [s(ə)Reveje] *v.* : wake * up **12**
revenir * [RəvniR] *v.* : come * back **64**
riche [Riʃ] *adj.* : rich **38**
rive [Riv] *n. f.* : bank **64**
rivière [RivjεR] *n. f.* : river **64**
riz [Ri] *n. m.* : rice **56**
robe [Rɔb] *n. f.* : dress **39**
robe de chambre [Rɔbdəʃα̃bR(ə)] *f.* : dressing gown **13**
robinet [Rɔbinε] *n. m.* : tap **15**
rond, ronde [Rɔ̃, Rɔ̃d] *adj.* : round **30**
rose [Roz] *n. f.* : rose **63**
rose [Roz] *adj.* : pink **29**
rouge [Ruʒ] *adj.* : red **29**

uler [ʀule] v. : roll **43**
ux, rousse [ʀu, ʀus] adj. : red-haired **37**
bis [ʀybi] n. m. : ruby **43**
e [ʀy] n. f. : street **18, 93**
isseau [ʀɥiso] n. m. : brook **62**

S

ble [sabl(ə)] n. m. : sand **73**
c à dos [sakado] m. : rucksack **74**
c de couchage [sakdəkuʃaʒ] m. : sleeping bag **74**
lade [salad] n. f. : lettuce **52**
le [sal] adj. : dirty **15**
lle de bains [saldəbɛ̃] f. : bathroom **15**
lle de classe [saldəklas] f. : classroom **26**
lle de jeux [saldəʒø] f. : playroom **75**
lle de séjour [saldəseʒuʀ] f. : sitting-room **11**
lon [salɔ̃] n. m. : sitting-room **69**; drawing room **93**
ndale [sɑ̃dal] n. f. : sandal **47**
ndwich [sɑ̃dwitʃ] n. m. : sandwich **91**
nté [sɑ̃te] n. f. : health **49**
pin [sapɛ̃] n. m. : fir tree **64**
uter [sote] v. : jump **76, 84**
uvage [sovaʒ] adj. : wild **69**
voir* [savwaʀ] v. : know* **29, 41, 60**
von [savɔ̃] n. m. : soap **15**
xophone [saksɔfɔn] n. m. : saxophone **79**
ène [sɛn] n. f. : stage **78**
conde [s(ə)gɔ̃d] n. f. : second **31**
l [sɛl] n. m. : salt **54**
maine [s(ə)mɛn] n. f. : week **28**
ringue [s(ə)ʀɛ̃g] n. f. : syringe **49**
rpent [sɛʀpɑ̃] n. m. : snake **69**
rrure [seʀyʀ] n. f. : lock **9**
rviette [sɛʀvjɛt] n. f. : towel **15**; napkin **54**
ampooing [ʃɑ̃pwɛ̃] n. m. : shampoo **15**
ort [ʃɔʀt] n. m. : shorts n. pl. **85**
ècle [sjɛkl(ə)] n. m. : century **93**
nge [sɛ̃ʒ] n. m. : monkey **69**
i [ski] n. m. : ski **87**; skiing **87**
ier [skje] v. : ski **87**
ire* du ski nautique [feʀdyskinotik] : water-ski* **65**
voir* soif [avwaʀswaf] : be* thirsty **54, 81**
igner [swaɲe] v. : look after **49**
soir [səswaʀ] : tonight adv. **39**
l [sɔl] n. m. : floor **43**
ldes [sɔld(ə)] n. m. pl. : sale **31**
leil [sɔlɛj] n. m. : sun **62, 73**
lide [sɔlid] adj. : sturdy **64**
lution [sɔlysjɔ̃] n. f. : solution **55**
mbre [sɔ̃bʀ(ə)] adj. : dark **10**
mmet [sɔmɛ] n. m. : peak **61**
mnambule [sɔmnɑ̃byl] n. : sleepwalker **57**
nner [sɔne] v. : ring* **12, 31**
ucoupe volante [sukupvɔlɑ̃t] f. : flying saucer **66**
uffler [sufle] v. : blow* **65, 92**
upe [sup] n. f. : soup **57**
upière [supjɛʀ] n. f. : soup tureen **57**
urcil [suʀsil] n. m. : eyebrow **48**
urire* [suʀiʀ] v. : smile **91**
ustraction [sustʀaksjɔ̃] n. f. : subtraction **28**
ectacle [spɛktakl(ə)] n. m. : performance **93**
ectateur, trice [spɛktatœʀ, tʀis] n. : spectator **93**; viewer **80**
ort [spɔʀ] n. m. : sport **83**
ade [stad] n. m. : stadium **84**

stationner [stasjɔne] v. : park **18**
stylo [stilɔ] n. m. : pen **28**
sucette [sysɛt] n. f. : lollipop **92**
sucre [sykʀ(ə)] n. m. : sugar **21, 55**
sucrier [sykʀije] n. m. : sugar dispenser **55**
supermarché [sypɛʀmaʀʃe] n. m. : supermarket **20**
supporter [sypɔʀte] v. : stand* **42**
sûr, sûre [syʀ] adj. : sure **20**
surprise [syʀpʀiz] n. f. : surprise **14, 38**
surveiller [syʀveje] v. : watch (over) **27**
synthétiseur [sɛ̃tetizœʀ] n. m. : synthesizer **79**

T

table [tabl(ə)] n. f. : table **54**
tableau [tablo] n. m. : blackboard **26**; painting **77, 93**
table de chevet [tabldəʃvɛ] f. : bedside table **12**
tablier [tablije] n. m. : smock **77**
tabouret [tabuʀɛ] n. m. : stool **14**
tache [taʃ] n. f. : stain **77**
se taire* [s(ə)tɛʀ] v. : keep* one's mouth shut **38**
talkie-walkie [tɔkiwɔlki] n. m. : walkie-talkie **61**
talon [talɔ̃] n. m. : heel **42**
tante [tɑ̃t] n. f. : aunt **34**
tapis [tapi] n. m. : rug **12**
tapisser [tapise] v. : paper **69**
tard [taʀ] adv. : late **13, 29**
tarte [taʀt(ə)] n. f. : tart **56**
tasse [tas] n. f. : cup **55**
taxi [taksi] n. m. : taxi **23**
tee-shirt [tiʃœʀt] n. m. : tee-shirt **41**
téléphone [telefɔn] n. m. : telephone **11**
téléphoner [telefɔne] v. : make* a telephone call **19**
télévision [televizjɔ̃] n. f. : television **11**
temps [tɑ̃] n. m. : weather **67**
tennis [tenis] n. m. : tennis shoe **42**
tennis de table [tenisdətabl] m. : table tennis **86**
tente [tɑ̃t] n. f. : tent **74**
tête [tɛt] n. f. : head **46**
thé [te] n. m. : tea **55**
théière [tejɛʀ] n. f. : teapot **55**
ticket de bus [tikɛdbys] m. : bus fare **28**
tige [tiʒ] n. f. : stem **63**
timbre [tɛ̃bʀ(ə)] n. m. : stamp **21**
tiroir [tiʀwaʀ] n. m. : drawer **41**
toboggan [tɔbɔgɑ̃] n. m. : slide **81**
toile [twal] n. f. : canvas **77**
toit [twa] n. m. : roof **9, 68**
tomate [tɔmat] n. f. : tomato **91**
tomber [tɔ̃be] v. : fall* **60, 87**
tondeuse à gazon [tɔ̃døzagazɔ̃] f. : lawn mower **8**
tonnerre [tɔnɛʀ] n. m. : thunder **67**
torero [tɔʀeʀo] n. m. : bullfighter **40**
torrent [tɔʀɑ̃] n. m. : mountain stream **61**
tôt [to] adv. : early **62**
total pl. -taux [tɔtal, -to] n. m. : total **28**
toujours [tuʒuʀ] adv. : always **29**
trace [tʀas] n. f. : track **30**
train [tʀɛ̃] n. m. : train **22**
travail pl. -vaux [tʀavaj, -vo] n. m. : work **52**; job **29**
bien travailler [bjɛ̃tʀavaje] : work hard **26**
traverser (la rue) [tʀavɛʀse(laʀy)] v. : cross (the street) **18, 19**
très [tʀɛ] adv. : very **39, 62**
tresse [tʀɛs] n. f. : plait **37**

triangle [tʀijɑ̃gl(ə)] n. m. : triangle **30**
trompette [tʀɔ̃pɛt] n. f. : trumpet **78**
tronc [tʀɔ̃] n. m. : trunk **60**
trop [tʀo] adv. : too **40, 42, 62, 85**
trottoir [tʀɔtwaʀ] n. m. : pavement **18**
trouver [tʀuve] v. : find* **39, 60, 61**
tube de peinture [tybdəpɛ̃tyʀ] m. : tube of paint **77**
tulipe [tylip] n. f. : tulip **63**

V

vacances [vakɑ̃s] n. f. pl. : holidays n. pl. **22, 73**
vache [vaʃ] n. f. : cow **62**
vainqueur [vɛ̃kœʀ] n. m. : winner **84**
faire* la vaisselle [fɛʀlavesɛl] : do* the dishes **14**
valise [valiz] n. f. : suitcase **22**
vallée [vale] n. f. : valley **61**
vase [vaz] n. m. : vase **11**
veau [vo] n. m. : calf **62**
vélo [velo] n. m. : bicycle **18**; bike **19**
vendeur, euse [vɑ̃dœʀ, øz] n. : salesperson **21**
vendre* [vɑ̃dʀ(ə)] v. : sell* **9, 21**
vent [vɑ̃] n. m. : wind **65**
ventre [vɑ̃tʀ(ə)] n. m. : stomach **46**
vérifier [veʀifje] v. : check **20**
verre [vɛʀ] n. m. : glass **14, 54**
vert, verte [vɛʀ, vɛʀt(ə)] adj. : green **18, 29**
veste [vɛst(ə)] n. f. : jacket **39, 40**
vêtements [vɛtmɑ̃] n. m. pl. : clothes n. pl. **39, 40, 41**
viande [vjɑ̃d] n. f. : meat **56, 74**
vide [vid] adj. : empty **30**
vider [vide] v. : empty **57**
vieux, vieil, vieille [vjø, vjɛj] adj. : old **36**
ville [vil] n. f. : town **17, 29**
violet, ette [vjɔlɛ, ɛt] adj. : purple **29**
violon [vjɔlɔ̃] n. m. : violin **78**
visage [vizaʒ] n. m. : face **48**
vite [vit] adv. : quickly **60**
voie [vwa] n. f. : track **22**
voile [vwal] n. f. : sail **65**
voir* [vwaʀ] v. : see* **34, 46, 52, 53, 56, 67, 76, 80**
voiture [vwatyʀ] n. f. : car **18, 19**
voler [vɔle] v. : fly* **62**
volet [vɔle] n. m. : shutter **9**
vouloir* [vulwaʀ] v. : want **20, 29, 53**
vrai, vraie [vʀɛ] adj. : real **57, 64**
vraiment [vʀɛmɑ̃] adv. : really **55, 77**

W

wagon [vagɔ̃] n. m. : carriage **22**

Y

yaourt [jauʀt] n. m. : yogurt **56**

Z

zèbre [zɛbʀ(ə)] n. m. : zebra **69, 76**
zoo [zoo] n. m. : zoo **76**

Dépôt légal octobre 1991

Réalisation Partenaires
Imprimé en France